D0281381

POUR TROUVER SA VOIE SPIRITUELLE

«Rencontres d'aujourd'hui»

Publiée par le Centre d'information sur les nouvelles religions (CINR), cette collection est dirigée par Pierre Boucher, Richard Bergeron et André Charron.

Dans une optique d'analyse critique et de discernement chrétien, la collection «Rencontres d'aujourd'hui» propose des monographies sur différents thèmes, groupes spirituels et courants religieux qui se développent en marge du catholicisme et des autres religions traditionnelles.

CENTRE D'INFORMATION
SUR LES NOUVELLES RELIGIONS

Jean-Claude Breton

POUR TROUVER SA VOIE SPIRITUELLE

Données de catalogage avant publication (Canada)

Breton, Jean-Claude, 1941-

Pour trouver sa voie spirituelle

(Collection Rencontres d'aujourd'hui; 16)

Publ. en collaboration avec: Centre d'information sur les nouvelles religions.

Comprend des références bibliographiques.

ISBN 2-7621-1594-9

1. Spiritualité. 2. Vie spirituelle. 3. Homme (Théologie). 4. Réalisation de soi. 5. Expérience. I. Centre d'information sur les nouvelles religions. II. Titre. III. Collection

BL80.2.B73 1992 291.4 C92-096370-6

Dépôt légal: 1er trimestre 1992
Bibliothèque nationale du Québec

Introduction

La question est évidente comme le nez au milieu du visage: devant l'offre actuelle, sur le marché des spiritualités, laquelle va-t-on choisir?

À cette question fondamentale se rattachent encore beaucoup d'autres: quels critères retenir, à quelle autorité se fier, quels principes suivre?

C'est à semblables questions que voudrait essayer de répondre le présent ouvrage. L'effort sera mené de façon à rendre service à ceux et celles qui portent ces interrogations et qui sont à la recherche d'une réponse adaptée à notre temps. L'auteur est catholique, mais il voudrait présenter une réflexion susceptible d'être accueillie par toute personne, quelle que soit son appartenance, ou non-appartenance, religieuse. En aucune occasion, les réflexions présentées ici, même quand elles sont marquées par les options de l'auteur, ne voudraient dégager le lecteur de sa responsabilité personnelle.

Il est bien évident, en effet, que la question du choix d'une spiritualité, telle que nous la soulevons ici, se pose pour les personnes qui ne peuvent plus compter sur leur appartenance religieuse pour leur dicter ce choix. Il ne s'agit pas, comme en d'autres circonstances en milieu chrétien, du choix entre une spiritualité d'inspiration franciscaine, jésuite, dominicaine ou sulpicienne, mais plutôt du choix entre une spiritualité chrétienne, orientale ou de type Nouvel Âge. Les enjeux sont autres, les choix plus décisifs.

Même si plusieurs voudraient se donner une spiritualité en dehors de toute appartenance religieuse, il n'en reste pas moins que, dans beaucoup de cas, le choix d'une spiritualité coïncide avec celui d'une religion. Nous n'entendons toutefois pas pousser la réflexion jusqu'au choix d'une religion, ni faire un inventaire évaluatif des religions. Nous voulons nous en tenir au choix d'une spiritualité.

Il importe dès lors que nous précisions d'entrée de jeu ce que signifie spiritualité pour nous. Comme nous l'avons déjà expliqué ailleurs[1], la vie spirituelle consiste, selon nous, en une entreprise par laquelle la personne humaine tend à unifier son expérience de vie dans l'achèvement et le dépassement de soi-même. Cette démarche spirituelle peut se dérouler dans la foi explicite en Dieu ou non, dans l'appartenance à une religion organisée ou pas. La plupart du temps, toutefois, la vie spirituelle s'organisera autour d'un pôle unificateur: un maître, une théorie, une cause. Dans une telle perspective, une spiritualité est une façon particulière d'atteindre l'objectif visé par la vie spirituelle. Elle devient en quelque sorte la voie, la méthode retenue pour orienter sa vie spirituelle. On comprendra aussi que la vie spirituelle ainsi conçue répond à un besoin de la personne et s'appuie sur la réalité de la personne, plus qu'elle ne relève de l'autorité ou de l'impératif d'une religion. La vie spirituelle est ce qui permet aux personnes de devenir vraiment elles-mêmes. Les êtres humains, inachevés mais ouverts à ce qu'il y a de plus grand, ont besoin de la vie spirituelle pour parvenir à leur achèvement.

Dans toutes les spiritualités, la vie spirituelle s'appuiera sur une foi, une idéologie, une théorie. Ces mots ne sont évidemment pas équivalents, mais ils désignent ici ce qui, dans une spiritualité, joue un peu le rôle de postulat et dont on ne peut rendre absolument et complètement compte par des explications rationnelles. Les êtres humains étant ce qu'ils sont, des mystères pour eux-mêmes et pour les autres, ils entretiennent en effet des rapports au monde et des relations aux autres dont tous les tenants et aboutissants ne peuvent pas être expliqués complètement. Au bout des raisonnements les plus savants et des recherches les plus minutieuses, se retrouvent souvent les postulats posés et acceptés au départ: il en est de même dans les spiritualités.

Ce sont donc ces convictions propres à chaque spiritualité qui dessinent les traits de leur visage, qui devraient permettre de les identifier et de les évaluer. C'est aussi en leur nom que les spiritualités imposent des comportements et dictent des conduites. C'est donc en référence à elles que pourra se faire le choix d'une spiritualité. Mais en fonction de quels critères?

Comme la vie spirituelle répond à des exigences humaines, il nous semble que l'évaluation des spiritualités pourra être menée en référence aux conceptions de la personne, implicites ou explicites, mises de l'avant par telle ou telle spiritualité.

Il demeure cependant une dimension importante à préciser: à quelle conception de la personne se référera-t-on pour évaluer les spiritualités? Un double piège est ici à éviter. Parce que, d'une part, les personnes adoptent souvent la conception de la personne mise de l'avant par leur spiritualité sans aucun regard critique, il faudra éviter de privilégier, et surtout d'absolutiser une conception de la personne proposée par une spiritualité. Une telle approche permettrait tout au plus de critiquer les spiritualités différentes[2]. Nous ne pouvons plus compter, d'autre part, sur une conception de la personne qui fasse l'unanimité et qui puisse devenir une référence stable dans l'évaluation des spiritualités.

L'anthropologie, cette science de la personne humaine, a abandonné son idéal de proposer une définition de la personne valable, et acceptée, par tous et dans tous les cas. Comme l'a si bien montré Fernand Dumont[3], l'anthropologie cherche plutôt aujourd'hui à être une science compagne de la personne en train de se réaliser. Face au danger de privilégier abusivement une conception de la personne, et en l'absence d'une conception qui fasse universellement l'unanimité, nous sommes donc dans une position délicate pour procéder à l'évaluation des spiritualités. Faisant de nécessité vertu, il nous apparaît plus sage de repérer les conceptions de la personne présentes dans une spiritualité et de les soumettre au jugement individuel et collectif.

Il semble donc que la référence aux conceptions de la personne demeure le meilleur critère pour évaluer les spiritualités, dès lors que l'on comprend celles-ci comme des outils au service des personnes en quête de vie spirituelle. Une telle perspective rend tout à fait légitime de se demander quel type de personne favorise telle spiritualité.

Nous avons déjà expliqué ailleurs[4] que les spiritualités se sont construites en s'efforçant de répondre à un certain nombre de questions, de préoccupations qui sont au cœur de l'expérience humaine. Sortes d'enjeux humains majeurs, ces questions, ou préoccupations, constamment présentes à l'expérience humaine, ont trouvé dans les diverses spiritualités des solutions, des réponses, valables pour un temps et pour un lieu. Quand ces solutions, ou réponses, se sont avérées inopérantes, inefficaces ou dépassées, les spiritualités se sont efforcées de les remplacer ou elles ont elles-mêmes été remplacées par d'autres spiritualités, porteuses de solutions mieux adaptées. Au cours des siècles sont ainsi apparues différentes spiritualités qui proposaient leur manière de gérer les questions permanentes à l'expérience humaine. Ces propositions de réponse sont toutefois porteuses de conceptions de la personne plus ou moins acceptables et par l'évaluation de ces conceptions on devrait pouvoir parvenir à juger de la valeur d'une spiritualité.

Illustrons ce fonctionnement par un exemple. La relation entre les sexes est une des questions majeures de l'expérience humaine. Pendant des siècles, diverses spiritualités se sont accommodées d'une vision patriarcale de cette relation. Avec l'intervention des mouvements féministes, nous nous trouvons aujourd'hui devant un consensus croissant pour mettre au rancart cette compréhension patriarcale. Les spiritualités qui s'appuyaient sur semblable compréhension auront à revoir leur option ou à se résigner à être remisées au grenier.

Il existe toutefois des cas où le consensus est moins évident. Si on considère, toujours sous mode d'exemple, la question de ce qui arrive à la personne après sa vie terrestre, on voit que les explications proposées ne sont pas aussi facilement contrôlables et vérifiables par l'expérience. En semblable cas, il faudra recourir à d'autres repères, comme par exemple l'équilibre proposé entre l'importance accordée à la vie et à l'après-vie. Autre manière de se référer encore à la conception de la personne.

Il semble donc possible de se référer à la conception de la personne soutenue par une spiritualité pour faire l'évaluation de celle-ci et pour choisir quelle spiritualité semble le mieux convenir.

Nous allons mener cette opération de la façon suivante. Nous allons reprendre les grands enjeux de l'expérience humaine, en les analysant et en les subdivisant au besoin, pour identifier la façon dont les spiritualités ont essayé de les dénouer. L'évaluation ainsi proposée ne pourra être que provisoire et en attente des adaptations que les changements dans la conception de la personne en viendront à exiger. Si les résultats sont provisoires, il nous semble que la méthode est suffisamment claire et valable pour légitimer l'entreprise.

De cette manière, le lecteur sera à même de juger des qualités d'une spiritualité et d'en choisir une dont les conceptions de la personne soient respectueuses de ses propres options. Dans le cas où quelqu'un aurait déjà fait son choix, il sera capable de prendre explicitement conscience des options anthropologiques servant de référence à sa spiritualité. Encore une fois, nous insistons sur la responsabilité du lecteur d'établir ses choix personnels.

À partir des consultations menées auprès de chercheurs en anthropologie, nous croyons pouvoir identifier six grandes questions ou préoccupations, toujours présentes à l'expérience humaine. Nous parlons de questions ou préoccupations pour tenir compte des situations où une question, ayant trouvé momentanément solution adéquate, ne se présente plus sous le visage d'une question, mais sous celui d'une préoccupation perceptible uniquement à travers la réponse adoptée. Ces grandes questions sont: le «qui suis-je» que se posent les personnes, y compris dans leur rapport au monde; le sens de l'agir humain; la place et le rôle du rapport aux autres (la vie en société); la nature de la connaissance; la différence des sexes; le rapport à l'Absolu qu'on nomme Dieu. On pourrait probablement aussi ajouter l'expérience artistique, comme autre élément présent à l'élaboration d'une spiritualité. Cette expérience se vit toutefois bien souvent comme un mode d'expression des options prises eu égard à l'une ou l'autre des questions déjà mentionnées. En ce sens, l'expérience artistique serait comme un langage de second degré et il ne nous semble pas nécessaire de la faire intervenir dans le présent exercice.

Pour éviter les raccourcis trop rapides et parfois injustes, nous ferons le moins possible référence à des spiritualités concrètes. Ces spiritualités relèvent, bien souvent, de traditions religieuses millénaires, qui exigeraient, pour être évoquées avec justesse, des développements plus importants que ceux auxquels nous nous prêterons.

Nous nous efforcerons plutôt de référer à des grands courants spirituels, assez bien typés, à partir desquels il est possible de situer telle spiritualité particulière.

1

Qui suis-je?

Pour ne pas préjuger de la réponse à donner à cette première question, qu'on aurait autrefois exprimée par «qu'est-ce que l'homme?» et que l'on exprime de plus en plus souvent par «qu'est-ce que la personne?», nous préférons mettre la question dans la bouche de chaque sujet humain et lui faire dire: «Qui suis-je?»

Sous cette question générale s'en cachent quelques autres qui ont été explicitées au cours des âges. La question de la spécificité de l'être humain parmi les êtres vivants, sans oublier celle du rapport au monde. La question de l'identité de la personne individuelle. La question de l'origine et celle aussi du terme de la vie humaine. Ces sous-questions devraient nous offrir une grille suffisante pour situer les différentes options que les spiritualités ont pu adopter à leur égard.

La spécificité humaine

L'être humain est un être vivant qui est entouré d'autres êtres vivants. S'il y a des différences indiscutables avec certains vivants, il y aussi des ressemblances qui devaient inévitablement soulever la question de la spécificité des humains parmi les vivants.

Entre les deux extrêmes, qui consistent à voir en l'être humain un animal tout au plus un peu plus complexe que les autres ou à en faire un esprit prisonnier dans un corps, des solutions mitoyennes ont aussi été mises de l'avant. Essayons d'en voir la signification en commençant par les positions extrêmes[5].

La solution qui consiste à ranger la personne humaine parmi les autres vivants en acceptant tout au plus une différence de degré, mais sans lui reconnaître de caractère spécifique, a repris de la vigueur et de la popularité en notre siècle. Que ce soit au nom d'une vision unifiée du cosmos ou en raison de préoccupations écologiques à l'égard du règne animal, il n'est pas exceptionnel d'entendre des personnes soutenir de telles vues. La question ultime que soulève toutefois semblable conception de la personne est de savoir si elle correspond à l'expérience vécue, hier et aujourd'hui, par l'espèce humaine. J'emploie à dessein le mot «espèce» parce qu'il me semble exprimer ce qu'ont vécu, expérimenté et dit des générations d'humains. Ceux-là mêmes, d'ailleurs, qui soutiennent la position contraire, le font le plus souvent en cherchant à «élever» au rang des humains les ou des animaux; rarement dans le sens contraire. Ce fait me semble révélateur de l'affirmation, au moins implicite, d'une certaine différence entre les humains et les autres vivants. Il y a, à notre époque, des courants spirituels qui s'appuient par ailleurs sur une telle vision unifiée du monde des vivants. Ces spiritualités renverraient donc à une conception de la personne qui ne semble pas exprimer ce qu'ont vécu, et vivent, un grand nombre d'êtres humains.

La position extrême contraire valorise tellement la dimension spirituelle de la personne qu'elle ne fait plus aucune place valable à sa dimension corporelle. Habituellement nommée dualiste, cette option sépare complètement la personne du monde matériel et la distingue absolument des animaux. Si on peut considérer comme un gain le fait de reconnaître à la personne une dimension spirituelle, que faut-il penser quand cette reconnaissance se fait au détriment de la dimension corporelle? Les découvertes scientifiques et psychanalytiques de notre siècle ont tellement mis en relief les influences corporelles sur le spirituel qu'il semble bien hasardeux de soutenir une totale séparation de la dimension spirituelle. Les spiritualités qui penchent de ce côté s'appliquent d'ailleurs à le faire délicatement, disant que le matériel rejoint le spirituel comme de l'extérieur et proposant comme solution une libération progressive de ces influences corporelles. La vieille image platonicienne de l'âme prisonnière du corps garde toute sa force d'évocation pour saisir la position ainsi soutenue. Faut-il pour autant souscrire à telle position et ne voir en «son» corps qu'un compagnon étranger, pour ne pas dire un ennemi? La tendance actuellement observable irait plutôt dans le sens de l'unité âme-corps pour faire de la personne l'être spécifique qu'elle se reconnaît être.

C'est en tout cas ce que soutiennent les positions mitoyennes qui, malgré les difficultés à expliquer comment cela se passe, préfèrent dire de la personne qu'elle diffère essentiellement des autres animaux, même si elle garde des traces de son appartenance au monde animal. Il n'est d'ailleurs pas exagéré d'affirmer que la majorité des grands courants spirituels vont dans ce sens, même si les différences dans leurs façons d'expliquer comment cela se passe donnent parfois l'impression qu'ils n'y vont pas ensemble.

Nous osons donc affirmer que les spiritualités qui correspondraient le mieux à l'expérience humaine commune, face à la question de la spécificité, seraient celles qui proposent une vue unifiée de la personne reconnue comme différente des autres vivants. Des spiritualités proposent sans doute d'autres solutions à cette première question. À ceux et celles qui s'en réclament de se demander s'ils ne se trouvent pas ainsi aliénés de la réalité qu'ils vivent par ailleurs dans leur existence quotidienne.

Face aux options actuellement privilégiées par certaines spiritualités, il faudrait sans doute transposer les remarques qui précèdent à la situation du rapport au monde. Plusieurs spiritualités manifestent une préférence marquée pour une relation au cosmos qui pose question à la spécificité humaine. Ces approches spirituelles mettent en quelque sorte l'univers, le cosmos, au premier plan et au point de départ de l'expérience spirituelle, les individus humains y trouvant leur place en fonction de la vision du monde adoptée, et non le contraire. Il ne s'agit pas là d'une position tout à fait nouvelle et originale, car depuis l'Antiquité et jusqu'au Moyen Âge, il est possible de retracer des spiritualités franchement appuyées sur des cosmologies semblables. Les exemples du passé s'accompagnaient toutefois presque toujours d'une référence à Dieu, ou au divin, face à qui la personne se situait dans une situation d'interlocuteur privilégié. Il n'en est plus de même dans les courants récents, plus nourris par la vulgarisation scientifique des recherches sur le monde stellaire que par des préoccupations théologico-cosmiques, et il est permis de se demander si les personnes humaines trouvent encore leur compte dans ces approches cosmiques.

L'origine de l'être humain

Nous abordons immédiatement cette question en raison de son lien étroit avec la précédente. Ce n'est pas d'hier que les personnes s'interrogent sur leur origine. D'où viennent les humains? Pendant des siècles, des récits mythiques de la création[6] ont fourni leurs réponses à la question et inspiré des spiritualités. Les perspectives évolutionnistes semblent s'imposer de plus en plus unanimement, aujourd'hui, même si, là encore, tous les «comment» n'ont pas trouvé leur explication définitive. Il y a bien encore des groupuscules créationnistes, mais les tenants de semblable position semblent justement le faire au nom d'une option spirituelle. D'autres courants proposent l'idée d'une origine extra-terrestre des humains.

Il ne sera probablement jamais possible de fournir des explications à ce point exhaustives qu'elles ne laissent plus aucune place au questionnement. Dans la situation actuelle du savoir, une présomption en faveur de la position évolutionniste n'apparaît pas être une utopie.

À remarquer aussi la parenté entre les types de réponses apportées à ces deux premières questions. Pour les tenants d'un être humain à peu près identique aux animaux, l'évolution se réduit assez naturellement à une simple transformation matérielle. Les défenseurs d'une personne purement spirituelle ne répugnent pas du tout à avoir recours à un ailleurs originaire. La référence à l'idée d'évolution, ouverte à la possibilité de franchir des seuils irréversibles, convient assez bien à ceux qui soutiennent une conception unifiée de la personne.

Les spiritualités proposent le plus souvent une façon d'expliquer l'origine humaine; elles ne sont pas neutres à cet égard. À qui veut choisir parmi elles de reconnaître quelle option lui semble la plus respectueuse de la personne humaine qu'il est.

Après la mort

La mort est une réalité qui a questionné les êtres humains bien avant que des spiritualités ne s'attellent à la tâche de proposer des façons de la vivre et de lui trouver un sens. On a même retenu les signes d'un culte rendu aux morts comme un indice d'humanité, lors de la découverte des vestiges d'êtres vivants très anciens.

Plus que la réalité du mourir lui-même, la question de ce qui arrive après la mort fait problème et a été l'objet de propositions d'explications par les spiritualités. Y a-t-il, ou non, une forme de (sur)vie après la mort? Si oui, de quel type de survie s'agit-il: de tout l'être humain ou de sa dimension spirituelle seulement? À ces questions peuvent aussi s'ajouter les considérations sur les explications du comment la survie advient: résurrection ou réincarnation?

Il est sans doute possible d'enregistrer l'affirmation de plus en plus claire et forte en faveur d'une croyance en la survie. Le culte des morts en est un indice non négligeable. Les réflexions psychanalytiques contemporaines ont voulu démasquer cette croyance comme simple projection du désir de vivre et survivre. En dehors des cercles d'initiés et des orthodoxes de la psychanalyse, on ne peut pas dire toutefois que l'opération a été un succès. Même si c'est au nom d'un désir illusoire, la majorité des personnes semble difficilement se résigner à ce que la vie d'une personne se termine définitivement avec la mort physique. L'option en faveur de la survie par différentes spiritualités en ferait donc un choix privilégié par beaucoup. Mais les spiritualités vont plus loin et elles proposent des explications sur la façon dont se réalise cette survie[7].

Pour certaines spiritualités, surtout celles à tendance dualiste, l'explication est assez simple. Au moment de la mort, l'âme, réalité spirituelle immortelle, accède à un mode de vie qui lui convient mieux que l'existence terrestre dans un corps. La mort est un processus de libération de l'âme et elle ne doit pas être envisagée comme un malheur.

Les spiritualités chrétiennes, qui ont souvent fait bon ménage avec cette approche dualiste, ont parfois intégré à leur foi en la résurrection des explications de ce genre, oubliant que les textes fondateurs du christianisme parlent d'une résurrection de la personne: corps et âme. On peut dire aussi que les spiritualités qui renvoient à la réincarnation font penser que la survie est celle d'un être spirituel immortel, qui doit passer à travers différents corps physiques, pour arriver à son achèvement. Position paradoxale, car les spiritualités réincarnationistes veulent la plupart du temps valoriser la dimension corporelle de la personne, durant son existence terrestre.

On peut donc dire que certaines explications de la résurrection et la plupart des théories réincarnationistes opteraient pour une survie de la dimension spirituelle de la personne, que l'on nommera de différentes manières selon les traditions.

La tradition chrétienne la plus fidèle aux textes du Nouveau Testament ne parle pas de survie d'une dimension immortelle en la personne, mais d'une vie donnée par la foi au Christ, d'une vie de toute la personne, même si vécue de façon transformée. La victoire sur le mal et sur la mort n'est pas que la survie de ce qui est immortel en la personne, mais l'accès à une vie nouvelle accordée par et dans la foi au Christ.

Comme nous le disions plus haut, il n'y a pas moyen de vérifier laquelle de ces explications est la plus juste. Si la foi en la résurrection apparaît inacceptable à certains, il serait illusoire de penser que la réincarnation est plus vérifiable, parce que moins perturbante pour certaines manières de penser. En quoi les récits proposés par certaines personnes de leurs vies antérieures sont-ils plus probants que les récits d'apparition de personnes ressuscitées? Dans les deux cas, on veut évoquer des générations de croyants, étalées sur des siècles, qui ont vécu avec la conviction que leur position était valable.

Aux considérations qui précèdent, il faudrait encore en ajouter une autre sur la qualité de la survie et sur l'influence de la vie terrestre sur cette qualité de «vie». Dans quel état les personnes se retrouvent-elles après la mort et est-ce que leur vie a valeur déterminante sur la qualité de leur survie? Nous reviendrons à ces considérations dans le prochain chapitre, quand nous parlerons du sens de l'agir humain. Il fallait quand même mentionner tout de suite cette question, étant donné son lien avec celle de la spécificité humaine.

Identité personnelle

Pendant longtemps les spiritualités proposées dans la partie occidentale de la terre tablaient sur une vision cosmique de la réalité, où les humains s'intégraient à leur place spécifique. Dans une vision hiérarchique du monde, les spiritualités pouvaient ainsi proposer aux humains une place convenable et leur imposer les comportements adaptés à leur situation.

Les bouleversements encourus autour de la Renaissance, de la Réforme protestante et de la découverte du Nouveau Monde ont ébranlé la force de cette vision cosmique et ont amené les personnes à chercher un autre point d'appui. Un philosophe comme Descartes, mais aussi une spirituelle comme Thérèse d'Avila, sont des témoins éminents de l'importance accordée au «je», comme nouveau point d'appui dans la recherche du sens de l'expérience humaine.

Cette affirmation de l'importance du moi soulève toutefois la question de l'identité individuelle. Qu'est-ce que ce «je» auquel on accorde une si grande place? Et qu'est-ce qui lui assure son caractère individuel? La place des autres, dans l'existence individuelle, sera aussi comprise sous un nouveau jour, comme nous le verrons plus loin.

Par-delà les nuances d'écoles, pas toujours négligeables, il reste une conviction première, pour qui parle du «je»: l'individu, la personne est un «je» distinct des autres et différent du monde où il vit. S'exprime alors la volonté claire d'affirmer le caractère inéluctable et inédit de l'individu, quoi qu'il en soit de la description qui en est faite de l'extérieur ou de la connaissance de soi intériorisée à laquelle il parvient. Que la personne se construise et se connaisse à partir de ses relations aux autres et dans son rapport au monde ne change rien au fait qu'elle soit alors affirmée comme unique et inédite. Même les courants spirituels, qui veulent emprunter à des points de vue orientaux et qui se disent transpersonnels, n'en continuent pas moins, du moins de façon implicite, à chercher le développement de cette personne unique, de ce «je» qu'ils semblent récuser[8].

Les divers courants psychanalytiques et psychologiques de notre siècle ont largement contribué à signaler l'importance déterminante du «je» dans les civilisations occidentales. Les spiritualités orientales, la plupart du temps aucunement préoccupées de l'identité personnelle, ont aussi servi, en contraste, à faire saisir l'importance du moi dans les cultures occidentales.

Face au choix d'une spiritualité, la situation actuelle de la réflexion se présente à peu près sous le jour suivant. L'importance du sujet individuel semble un acquis que nos civilisations sont peu disposées à abandonner. Malgré quelques abus qu'il faudra bien trouver le moyen de corriger, l'individu occupe, dans les fondations et l'organisation de nos sociétés, une place qu'il serait bien difficile de modifier sans mettre en péril tout leur équilibre. Certains abus de tendance égocentrique servent par ailleurs à mettre en valeur les spiritualités moins préoccupées par le sujet individuel.

Avec les facilités actuelles de communications entre les cultures, on peut imaginer que des transformations souterraines profondes n'ont pas fini d'impliquer de nouvelles orientations à nos sociétés. Entre-temps, les personnes en quête d'une spiritualité adaptée à leurs besoins devront accepter de vivre une certaine tension entre les appels du «je» et les exigences d'une vision moins spécifiante du monde. Impossible de trouver l'équilibre une fois pour toutes; tout au plus est-il possible de signaler les enjeux actuels. En rappelant, toutefois, qu'une spiritualité conservant une dimension sociale et culturelle importante, il serait sans doute hasardeux d'en choisir une qui soit tout à fait en porte-à-faux par rapport à son milieu social d'origine.

2

L'agir humain

Il suffit d'avoir vu un jour la dépendance totale d'un nouveau-né pour saisir que les humains viennent au monde inachevés et en attente de l'accomplissement progressif d'eux-mêmes. Un regard rapide sur l'histoire des civilisations permet la même prise de conscience, en ce qui concerne les groupes cette fois-ci. Les personnes, même à un âge plus avancé alors que les forces physiques diminuent, demeurent des êtres en quête de réalisation et d'achèvement.

Deux questions se dessinent ici, qui concernent le sens de l'agir humain posé en vue de cet achèvement, et qui seront déterminantes dans le choix d'une spiritualité.

La première porte sur la responsabilité reconnue, selon des degrés différents ou pas du tout, à la personne dans son action. Est-ce que l'individu décide de lui-même des gestes à poser et, si oui, porte-t-il, seul et complètement, la responsabilité de ses gestes?

L'autre question concerne l'objectif recherché dans l'action humaine. Qu'est-ce que cherchent, ou devraient chercher, les personnes dans la suite des gestes qu'elles posent? Y a-t-il un but qui s'imposerait à tous, le bonheur par exemple; mais quel sort réserver dès lors à la réalité qui s'impose comme un obstacle à cet objectif: le malheur et le mal?

Un agir responsable?

Autonomie ou hétéronomie, c'est ainsi que se pose la question en termes abstraits. La personne est-elle responsable elle-même de son action, autonomie, ou doit-elle s'en remettre à des règles et des normes extérieures, hétéronomie, qui lui dictent ce qu'elle doit faire? À poser la question ainsi, on comprend tout de suite que la réalité est plus complexe qu'un tel choix entre deux absolus pourrait le laisser croire.

S'il est assez fréquent de proposer l'autonomie comme un idéal à atteindre, ou tout au moins à approcher le plus possible, les connaissance acquises en notre siècle ont rappelé clairement que la marge d'autonomie individuelle est beaucoup plus étroite que des esprits optimistes voudraient parfois le croire. Déjà l'apôtre Paul se désolait du mal qu'il ne voulait pas faire mais qu'il accomplissait; n'importe qui, aujourd'hui, en appellera du jeu de l'inconscient et du subconscient pour rendre compte de son agir erratique.

Est-ce à dire que l'autonomie serait à mettre au rang des utopies néfastes qui empêchent les personnes d'affronter la réalité et qu'il vaudrait mieux s'en remettre à la gouverne de ces spiritualités qui, faisant fi de la part d'autonomie de la personne, entendent lui dicter de bout en bout ce qu'elle doit faire de sa vie? C'est en tout cas l'alternative retenue par un certain nombre de spiritualités qui, voulant mettre les individus à l'abri des gestes regrettables, les entourent de lois et de règlements régissant toutes les questions soulevées par la vie quotidienne.

Le succès des spiritualités favorisant l'hétéronomie, qu'elles se chargent d'ailleurs elles-mêmes de contrôler, tient pour une large part à un certain bien-être immédiat éprouvé par ceux et celles qui s'y soumettent. Exercer ses responsabilités est en effet une tâche exigeante, jamais terminée ni assurée de la réussite. Tandis que la pratique de l'obéissance, en contexte d'hétéronomie, offre la sécurité du devoir accompli et les garanties de l'autorité absolutisée. Pour bien des personnes, moins préoccupées de philosopher en termes humanistes que de trouver une façon de vivre confortable, il devient ainsi rassurant de vivre en régime hétéronome. Surtout quand les autorités reconnues suivies peuvent se réclamer de leur soumission aux impératifs divins.

Malgré cette satisfaction qu'apporte la pratique hétéronomique, malgré aussi les limites bien réelles de l'autonomie des personnes, il n'en reste pas moins que l'obéissance à des normes, ou impératifs externes, n'a de sens que si la personne jouit d'une certaine part d'autonomie responsable. C'est en effet cette part d'autonomie qui rend les personnes responsables, comme le démontre le fait qu'on n'impute aucun geste manqué, aucun crime, à une personne jugée non responsable. Si l'autonomie, quelles qu'en soient les limites, est ce qui assure aux humains la responsabilité de leurs actions, il y aurait donc contradiction pour eux à choisir une spiritualité qui leur dénie toute autononomie. Car sans autonomie, il n'y a pas de responsabilité et s'il n'y a pas de responsabilité pourquoi se préoccuper du sens de ses gestes? Quand quelqu'un s'interroge sur le choix des actions à poser, c'est qu'il sait qu'il devra assumer les conséquences de ce choix. Si sa responsabilité lui échappe, parce qu'il est dépouillé de toute autonomie, il n'a plus à s'interroger; il n'a plus qu'à effectuer les gestes qui lui sont prescrits de poser. Un bien ou un mal pourra en résulter, mais il ne pourra jamais se prévaloir du bien ou être accusé du mal, car il aura abdiqué sa responsabilité en se niant toute autonomie.

Ces raisonnements pourront sembler absolus et abusifs, mais il n'est pas besoin de chercher bien longtemps pour voir des personnes à la recherche d'une spiritualité «sûre». Entendez par là une spiritualité qui distingue clairement le bien du mal, qui ordonne sans hésitations ce qu'il faut faire ou éviter, et qui scelle de l'autorité divine ses moindres affirmations. Aussi rassurante que soit semblable spiritualité, aussi réconfortant puisse-t-il être de s'en remettre à un autre pour l'exercice de ses responsabilités, prendre sur soi de renoncer à son autonomie signifie aller à contre-courant de ces forces vives qui ont permis à l'humanité de grandir et de progresser.

En partie autonomes, et dès lors responsables à la mesure de cette autonomie, vers quel but, pour quel objectif, les humains choisiront-ils d'orienter leur agir?

À quelle fin?

Sous des vocables différents et en proposant une diversité de moyens, la plupart des spiritualités préconisent un même objectif: être heureux, atteindre le bonheur, parvenir au bien-être, ou dans le vocabulaire d'aujourd'hui: tendre vers son achèvement, se réaliser dans toutes ses potentialités.

Trois questions se présentent tout de suite à l'esprit, pour lesquelles les réponses fournies renverront à des spiritualités très différentes. Les deux premières sont assez intimement liées; l'une porte sur le contenu retenu pour définir le bonheur recherché, l'autre sur les moyens à pratiquer pour y parvenir. La troisième question trouve au moins un élément de réponse dans toutes les spiritualités et il est même possible de dire que certaines se caractérisent par la qualité de leur solution. Il s'agit de la question du sort à réserver à ce qui s'oppose au bonheur visé: le malheur et le mal.

Essayons de reconnaître les principales avenues suivies par les diverses spiritualités.

Quel achèvement?

Si les spiritualités tendent toutes vers la même direction, elles n'accordent pas toutes la même signification aux mots retenus pour désigner cet objectif. Qu'est-ce que le bonheur, qu'est-ce qui rend les personnes heureuses, quel achèvement cherchent-elles?

Rares sont les spiritualités qui privilégient un contenu presque uniquement matériel, mais il s'en trouve quand même qui s'en rapprochent dans la mesure où elles réduisent le bonheur au bon fonctionnement des composantes corporelles et à l'aménagement d'un environnement extérieur qui mette à l'abri de tout heurt. Si les spiritualités ne favorisent habituellement pas cette description du bonheur, ce n'est pas que les objectifs ainsi choisis sont mauvais, mais c'est parce qu'ils sont trop limités. Le bonheur y est vu plus comme une absence de mal que comme un appel à la croissance et au dépassement et, dès lors, il répond plus ou moins adéquatement à la visée de la vie spirituelle telle que nous l'avons déjà identifiée.

Les spiritualités ont plutôt tendance à comprendre le bonheur comme un mieux-être, comme un dépassement auquel les individus sont appelés. Pour certaines, ce mieux-être se confinera à l'intérieur des limites de la vie terrestre; pour d'autres, il s'achèvera, ou même consistera dans l'existence promise après la mort. Dans le premier cas, il pourra s'agir de chercher à épanouir le plus possible toutes les potentialités de la personne: relationnelles, artistiques, intellectuelles et affectives. Dans le deuxième, des spiritualités proposeront en plus un dépassement de cet épanouissement dans l'existence *post-mortem*, tandis que d'autres négligeront l'épanouissement de la personne au profit d'un bonheur réservé pour après la mort.

Il est facile de reconnaître la parenté des enjeux de cette question avec ceux déjà rencontrés au sujet de la spécificité de la personne et de sa survie après la mort. Ici encore, la référence à la conception de la personne devrait amener à privilégier une spiritualité qui rend justice à ce que nous connaissons de la personne. Il s'agira, premièrement, d'une spiritualité qui inclut dans sa compréhension du bonheur le plus de composantes possibles de la réalité humaine. Une spiritualité qui écarterait ou négligerait l'une ou l'autre de ces composantes apparaîtrait dès lors moins complète. Il s'agira, deuxièmement, d'une spiritualité qui s'affichera ouverte à un achèvement après la mort, sans par ailleurs dévaluer l'existence terrestre au nom de cet éventuel achèvement. Une spiritualité qui serait franchement récalcitrante à prendre en considération la possibilité d'une vie après la vie terrestre ne respecterait pas cet espoir qui semble demeurer au cœur de la majorité des personnes. Une spiritualité qui concentrerait le bonheur dans l'existence après la mort manquerait de reconnaissance et de respect pour l'expérience quotidienne des vivants.

De quelle manière?

La stratégie adoptée pour atteindre le bonheur recherché emprunte évidemment beaucoup d'éléments à la nature reconnue à ce bonheur. On retrouvera à ce sujet des pistes de réflexion déjà suivies à propos d'autres questions.

Ainsi une spiritualité pour laquelle le bonheur signifie un bien-être simplement matériel mettra de l'avant des moyens accordés à cette fin, et ainsi de suite. L'enjeu majeur à réexaminer porte sur le cas des spiritualités qui considèrent que le bonheur s'achève dans la vie après la mort. Cet achèvement est-il donné ou mérité? et, s'il est donné, l'est-il avec ou sans considérations pour la qualité de la vie terrestre atteinte?

Il est légitime, en effet, de formuler semblables questions, car on peut envisager la survie comme à ce point surhumaine qu'elle doit être accordée gratuitement, ou y voir un simple prolongement de l'existence terrestre, préparé par celle-ci. La réponse chrétienne à cette problématique semble avoir réussi à atteindre un équilibre particulièrement délicat.

Comme nous l'évoquions plus haut, à l'occasion de la survie, la tradition chrétienne la plus authentique entend que la vie après la mort est un don gratuit accordé à qui l'accepte dans la foi au Christ, mais elle tient aussi que la qualité de cette nouvelle vie dépend de la façon dont les personnes se sont comportées durant leur existence terrestre. L'état de ressuscité ne se mérite pas, mais la qualité de vie du ressuscité est fonction de la vie menée sur terre.

Nous faisons allusion à la position chrétienne, parce qu'il s'agit là d'une explication suffisamment claire pour servir de point de repère permettant de situer d'autres options. Répétons qu'il s'agit d'un domaine où il n'est pas possible de trancher la question à partir de critères purement rationnels. La personne sera toujours renvoyée à une option de l'ordre de la foi. Si la raison ne peut pas résoudre le problème, elle peut toutefois servir à identifier les conséquences de l'option retenue. Ainsi, on peut comprendre qu'une survie «méritée» risquerait d'être du même ordre que la vie actuelle et soumise aux mêmes aléas, tandis qu'une survie donnée sans aucune considération pour la vie terrestre, en viendrait à dévaluer cette dernière. Ce sont là les considérations qu'il semble important de prendre en compte au moment d'opter pour la position proposée par telle ou telle spiritualité.

Et le mal?

Si le bonheur est l'objectif recherché à travers l'agir humain, la réalité de l'existence rappelle continuellement la présence du mal, qui prend visage d'obstacle au bonheur désiré. Face à cette réalité, les spiritualités ont cherché à répondre à deux questions: d'où vient le mal et que faire en sa présence?

L'origine du mal peut, en principe, relever des conditions appartenant au monde terrestre ou venir d'êtres situés à l'extérieur de notre univers et ayant pouvoir sur lui. Les spiritualités ont de fait proposé des explications qui vont dans un sens ou l'autre.

Pour certaines spiritualités, le mal s'explique en référence aux conditions ordinaires de la vie terrestre. Soit qu'elles voient dans le mal le résultat de la finitude de notre monde, où arrivent inévitablement des imperfections, des échecs et des erreurs, autant de causes du mal. Soit qu'elles préfèrent rendre compte du mal à partir de la faute, ou du péché, d'individus qui introduisent ainsi un désordre dans notre monde et y font apparaître le mal, comme permet de le comprendre l'idée de rétribution. Devant la diversité des formes du mal, certaines spiritualités proposent une explication qui tient des deux précédentes. Certains malheurs, d'ordre plutôt cosmique ou biophysiologique, relèvent de la finitude du monde, tandis que d'autres, de nature plus relationnelle, dépendent du manque de justice, d'honnêteté et de générosité des humains. Ces approches, dans la mesure où elles renvoient pour une part à la responsabilité humaine et donnent prise au sentiment de culpabilité, sont parfois remplacées par des explications extra-mondaines.

Pour d'autres spiritualités, le mal émane de l'intervention d'êtres qui ont un pouvoir sur la terre et ses habitants. Il s'agira soit des démons, de Satan, ou de dieux du mal, étant entendu, dans la majorité des cas, que Dieu ne peut pas vouloir le mal. Cette explication comporte toutefois certaines incohérences qu'il incombe de démasquer.

Mettons momentanément de côté la question de savoir si Dieu peut vouloir le mal ou s'il ne fait que le permettre, pour retenir cette partie de l'explication qui fait appel aux démons ou à un dieu du mal. L'objectif de semblables explications semble être de disculper et/ou Dieu, et/ou les humains. Si les démons, ou le dieu du mal, rendent compte des malheurs qui frappent l'humanité, personne n'a à se reconnaître coupable ou responsable du mal. Pour le cas des humains, cette explication a de nouveau l'inconvénient de les dépouiller de toute responsabilité. Si un individu n'est pas responsable d'une injustice qu'il a provoquée, pourquoi serait-il responsable d'un geste d'amour ou de générosité? L'explication n'est pas plus satisfaisante du côté de Dieu. Les démons, ou le dieu du mal, devraient dégager Dieu de la responsabilité du mal présent dans notre monde. Mais d'où viennent ces démons, ce dieu du mal? Ou bien ils sont égaux à Dieu, et alors leur existence remet en question la foi monothéiste d'une large majorité de l'humanité, ou bien ils sont créatures de Dieu, et alors ils ne peuvent servir à disculper Dieu de sa responsabilité, puisqu'il aurait accepté leur action mauvaise en consentant à les créer.

Ce type d'explication, même s'il a été largement pratiqué et dans des traditions religieuses honorables, se résume en exutoire temporaire et ne parvient pas à écarter la question d'une éventuelle intervention de Dieu face à la réalité du mal. Cette question ne se pose évidemment que pour les personnes reconnaissant l'existence de Dieu et elle consiste à savoir si Dieu veut, ou permet, que le mal existe. La réponse à cette question dépendra de la façon de comprendre le rapport de Dieu au monde mis de l'avant par l'une au l'autre spiritualité.

Pour certaines spiritualités, il est tout à fait normal que Dieu, qui a fait le monde, y intervienne à sa guise et directement. Dans une telle perspective, Dieu est directement et immédiatement responsable de ce qui arrive sur notre terre et il doit être tenu responsable de l'existence du mal sous toutes ses formes.

D'autres spiritualités, plus préoccupées de sauvegarder la responsabilité et la liberté des humains, conçoivent que le monde dépend de Dieu pour son existence, mais reconnaissent en même temps qu'il fonctionne selon les lois qui lui sont propres. Cette approche n'imputera pas à Dieu les désastres naturels, mais les fera relever de la finitude du monde, tout en affirmant qu'une autre part des malheurs humains relèvent du mauvais usage que des personnes font de leur autonomie, de leur liberté.

Ce sont à peu près les choix d'explications disponibles quant à l'origine du mal et le choix d'une spiritualité s'effectuera en tenant compte de la conception de la personne soutenant l'une ou l'autre de ces explications. Cela dit, l'origine du mal n'est peut-être pas la question la plus importante à formuler à son sujet; encore faut-il se demander: que faire face au mal?

Quoi faire?

Si la fuite peut paraître une solution tentante, elle s'avère bien vite très aléatoire: le mal finit toujours par rejoindre tout le monde, un jour ou l'autre. À des degrés différents, bien sûr, mais le fait de ne pas être confrontés aux pires conditions de malheur est une bien mince consolation pour ceux et celles qui sont un jour frappés par le malheur. Rares sont donc les spiritualités qui préconisent la fuite, comme réaction face au mal.

La situation est différente si l'on choisit de se résigner. Le mal étant le plus souvent une réalité inévitable, il n'est pas complètement illogique de tendre à l'accepter en en faisant le moins de cas possible. Des spiritualités chercheront ainsi à détourner l'attention portée à la réalité du mal, soit en privilégiant le regard porté sur les dimensions heureuses de la vie, soit en minimisant l'impact réel du mal[9]. Si semblable pratique peut se révéler d'une bonne inspiration pour le cas des malheurs qui rejoignent directement un individu, elle devient vite désastreuse lorsque appliquée aux malheurs qui frappent les autres. Une personne a légitimement le droit de ne pas vouloir se laisser écraser par les malheurs qui la touchent et, par conséquent, à chercher à en relativiser l'importance. Transposée au cas des autres, semblable attitude peut dénoter un grave manque de sensibilité, quand ce n'est un refus de reconnaître sa part de responsabilité dans les difficultés rencontrées par les autres.

Justement parce que la réalité du mal soulève souvent la question de la responsabilité de l'individu, il est permis de se demander s'il n'est pas préférable d'adopter une autre attitude que la résignation. Car si se résigner peut permettre d'endurer son malheur à moindres frais, cela amène du coup à abandonner toute recherche en vue de diminuer les conséquences du mal, sinon sa réalité même.

Au nom de cette responsabilité que des personnes se reconnaissent, d'avoir à chercher des moyens d'enrayer la propagation du mal sinon de l'éliminer dans certains cas, des spiritualités ont proposé cette voie à ceux et celles qui se réclament d'elles. Comme nous le suggérions tout à l'heure, la question importante n'est plus alors de savoir qui est responsable de tel malheur, mais celle qui consiste à se demander ce qu'il est possible de faire pour contrer, en tout ou en partie, telle ou telle forme de malheur. Face aux inévitables désastres naturels, on prônera d'abord des mesures préventives et ensuite des moyens de réparation. Devant les misères venues de la méchanceté ou de l'injustice des personnes, on proposera des mesures thérapeutiques, tout en s'efforçant d'éduquer à l'amour et à la générosité.

Ces spiritualités, on le voit, sont à la fois réalistes à l'égard de la réalité du mal et préoccupées de ne rien retrancher à la responsabilité des personnes. Plutôt, toutefois, que de s'enfermer dans une compréhension de la responsabilité qui ne tend qu'à accentuer le sentiment de culpabilité, ces spiritualités tendent à identifier les tâches dont les personnes peuvent se reconnaître responsables en vue de l'amélioration des conditions de vie sur notre terre.

Résumée en une formule peut-être trop lapidaire, on peut dire que la réaction possible face au mal consiste soit à démissionner ou à assumer sa responsabilité. Les circonstances concrètes de la vie ne permettent sans doute pas de toujours trancher de façon aussi absolue, mais cette alternative indique les directions disponibles selon que l'on se réclame de l'une ou l'autre spiritualité. Le choix serait donc ici plus facile que dans d'autres cas; la difficulté se retrouvant plutôt du côté de la persévérance à garder en fonction de l'option retenue[10].

3

Le rapport aux autres
La vie en société

Les spiritualités elles-mêmes comportent une dimension sociale essentielle. Transmises de personne à personne, d'un groupe à un groupe ou d'un groupe à un individu, dès qu'elles durent et sont connues, elles deviennent un bien social. Certaines tendront à limiter leur accessibilité et se voudront réservées à une élite ou bien seront franchement cachées, occultes. Nous ne nous attarderons pas directement à ce désir d'élitisme ou d'occultisme, car ce n'est pas un facteur intervenant dans le choix d'une spiritualité. Ou bien quelqu'un est invité à adopter une spiritualité ou bien il ne l'est pas. S'il est invité, que cette spiritualité se veuille élitiste ou pas, ce fait sera rarement un critère décisif; il restera toujours à soumettre cette spiritualité aux autres critères proposés dans le présent ouvrage.

Ce qui retiendra ici notre attention est plutôt le sort que réservent les différentes spiritualités à l'autre et aux autres. Même si une spiritualité fait l'objet d'un choix personnel, elle est le plus souvent vécue en société, avec les autres. Quelle place sera réservée aux autres dans telle ou telle spiritualité?

Nous posons la question en contexte culturel occidental le plus ordinaire où l'individu est reconnu comme distinct sinon comme unique[11]. Quelqu'un serait-il amené à s'intéresser à une spiritualité venue d'un autre contexte culturel, faisant moins état de l'importance de l'individu, il lui faudrait encore adapter cette spiritualité aux conditions historiques et législatives de l'Occident.

La situation est donc la suivante: l'individu adopte une spiritualité qu'il aura à vivre dans un environnement où d'autres personnes sont aussi présentes. Face à cette situation, les spiritualités se sont traditionnellement distinguées en répondant à deux ordres de questions. Sous un premier aspect, il s'agit de savoir si toutes les personnes sont égales ou s'il existe entre elles une certaine hiérarchie, de quelque nature qu'elle soit. Les spiritualités s'intéressent encore à une autre question, portant sur la place à réserver aux autres. Occuperont-ils une place significative dans la démarche spirituelle, et si oui, en quel sens: comme obstacles ou ennemis, ou plutôt comme aides ou compagnons?

De l'égalité des personnes

Les tendances démocratiques contemporaines ont contribué à créer un certain consensus autour de la position suivante. Si toutes les personnes ne naissent pas égales en raison des différences héréditaires, économiques, culturelles et autres, elles sont de plus en plus reconnues égales en droit. Les démocraties modernes considèrent comme un précieux acquis cette position confirmée par les chartes des droits et elles se font un devoir de mettre en place les mécanismes législatifs capables de le protéger. Il s'agit là toutefois d'un cas où la législation est peut-être en avance sur la réalité vécue et on rencontre encore des personnes manifestant d'une manière ou d'une autre leur conviction qu'il existe des races ou des groupes humains supérieurs aux autres. Même décrié, le racisme n'est pas tout à fait mort, et l'élitisme, appuyé sur des distinctions de classes sociales ou autrement, parvient encore bien souvent à trouver des moyens de s'affirmer.

Les spiritualités ont historiquement adopté des positions qui relèvent autant des situations concrètes que des visées législatives. Selon qu'elles se donnent comme rôle de contribuer à la transformation des sensibilités et des comportements sociaux ou qu'elles acceptent d'être à la remorque des manières de faire socialement acceptées, leurs positions seront bien différentes. Selon aussi qu'elles se veulent purement obéissantes aux lois en place ou qu'elles préconisent l'adoption de changements législatifs, les spiritualités prendront des directions opposées.

Il y a eu historiquement des spiritualités qui se sont accomodées de l'esclavagisme et du racisme, sans parler du sexisme encore trop présent de l'avis de plusieurs. Il y a eu, et il y a encore, des spiritualités qui encouragent et favorisent des visées élitistes, soit en ménageant leur ouverture à des membres «élus ou choisis des dieux», soit en se diffusant uniquement dans des classes sociales jugées supérieures.

Bien malin qui saura trouver un moyen d'expurger de la face de la terre semblables prises de position. Bien naïf serait celui qui croirait pouvoir tirer un profit spirituel de son appartenance à tels groupes, malgré leurs options anti-égalitaires. La sagesse populaire aussi bien que celle des humanistes de métier se rejoignent ici pour indiquer la voie à suivre en faveur de l'égalité entre les êtres humains. Ce n'est sans doute pas dépasser les possibilités de la réflexion actuelle que d'affirmer que, sur cette question de l'égalité, il n'est plus permis d'opter pour une spiritualité dont les options seraient même seulement quelque peu hésitantes. Aller dans le sens contraire équivaudrait à renoncer à des progrès acquis au prix de trop de souffrances et de luttes prolongées. Ce jugement sévère, qui ne peut pas être appliqué aux situations d'autrefois sauf sous peine d'anachronisme, ne prétend pas oublier les différences entre les personnes, mais il vise à protéger de l'oppression ceux et celles qui seraient d'une manière ou d'une autre plus démunis.

Avec, contre ou sans l'autre?

Parce que l'évolution spirituelle est largement tributaire des aptitudes de chaque personne, parce que les personnes diffèrent les unes des autres à des degrés divers, il est bien difficile d'harmoniser tous les rythmes individuels. Il existe, bien sûr, à chaque époque des courants porteurs qui proposent une cadence commune à un groupe plus ou moins large, pour un lieu vaguement circonscrit. Entre semblables courants, et même à l'intérieur de chacun, subsistent toutefois des différences que les spiritualités ont dû chercher à gérer.

Les modalités éventuellement retenues pour vivre les relations aux autres peuvent être situées sur un éventail délimité par deux positions extrêmes, entre lesquelles plusieurs variantes sont possibles. Soit que l'individu devienne la référence première et absolue, en fonction de laquelle le groupe aura à essayer de s'organiser, soit que le groupe devienne la norme et la règle définissant les droits et comportements des individus, réduits à n'être que de simples numéros dans le système. Ni l'une ni l'autre de ces positions absolues n'est vécue à l'état pur, pour des raisons pratiques évidentes, mais chacune marque une tendance reconnaissable dans les options des spiritualités.

Selon la tendance individualiste la plus extrême, les autres seront considérés comme des obstacles sur le chemin particulier de chaque personne. La méfiance sera de rigueur pour se mettre à l'abri des influences perturbatrices des autres. Les autres ne pouvant pas comprendre en profondeur la situation de l'individu singulier, leurs avis, conseils et interpellations doivent être entendus de façon critique, quand ils sont pour un peu accueillis.

Une variante de cette tendance réservera un statut privilégié aux autres d'un groupe plus ou moins limité, constituant l'entourage immédiat de la personne. Les membres d'une même famille, d'un même groupe religieux, d'un même «pays», seront acceptés avec moins de méfiance. Cette disposition bienveillante pour certains se transformera souvent en une méfiance plus grande à l'égard des personnes situées à l'extérieur de ce cercle amical ou familier.

À la limite de sa logique interne, la tendance individualiste en vient parfois à reconnaître que les autres sont aussi des personnes jouissant des mêmes droits et douées de dispositions identiques à ceux dont se réclame l'individu considéré au départ. Dans une telle perspective, les sentiments d'animosité à l'égard de l'autre feront place à une disposition d'accueil et à un désir de respect des autres. Les difficultés et les tensions ne seront pas abolies, mais elles seront considérées comme autant d'occasions d'enrichissement et de croissance, lorsque vécues pacifiquement et dans un dialogue où le temps peut faire son œuvre. On devine cependant comment semblable idéal peut être onéreux dans les situations concrètes et ce fait rend sans doute compte, pour une part, du choix en faveur de la tendance privilégiant le groupe.

Il apparaît souvent plus réaliste et plus facile de chercher à gérer les relations entre les personnes en référence à un consensus de groupe. Les explications et les règles du groupe deviennent alors le fondement premier et la déviance, ou dissidence, d'une personne trop individualiste pourra lui mériter l'exclusion. Là encore, des variantes sont possibles, dans les pratiques contraignantes du groupe.

En régime totalitaire, et les spiritualités ne sont pas à l'abri de cette tentation, les mesures de contrôle de l'individu seront absolues et les autorités ne craindront pas de pousser leurs investigations jusqu'au for intérieur. On pourrait s'imaginer qu'en notre siècle de montée démocratique semblables abus ne sont plus possibles. Il est de notoriété publique que tel n'est pas le cas dans le domaine politique: il existe des pouvoirs totalitaires. Il est même possible d'ajouter que des spiritualités existent, qui pratiquent, selon toute apparence, semblable emprise abusive. Les pratiques d'embrigadement, de lavage de cerveau et de contrôle des moindres gestes ne sont pas le fait que des régimes politiques. Périodiquement, l'existence de groupes à visée spirituelle prônant une autorité absolue est portée à l'attention du public par le biais des médias. Ces cas excessifs sont alors l'objet d'une réprobation générale, qui indique bien que ce n'est pas là ce qu'on attend d'une spiritualité.

À côté des situations excessives, qui ont parfois l'honnêteté de ne pas se cacher, existent encore des spiritualités qui, sous le couvert de théories plus libertaires, ne se gênent pas pour recourir à des moyens subtils de mainmise sur les individus. Manipulant habilement la crainte, par l'évocation de menaces au sujet du salut éternel ou par la dramatisation des conséquences immédiates des gestes déviants, ces spiritualités ne tolèrent pas beaucoup plus la dissidence que les régimes totalitaires. Quand elles accepteront de faire une place à la liberté dans leurs prises de position, ce sera pour souligner l'importance d'exercer cette liberté dans le sens qu'elles ont défini, même dans des domaines où la complexité des situations, et parfois leur importance relative, devraient laisser une marge de manœuvre plus grande aux individus concernés.

Il n'est pas utile d'aller plus loin dans l'inventaire des différentes variantes de la tendance grégaire. Il suffira de rappeler que, selon cette option, la question de la relation de l'individu aux autres est en fait évacuée. Les comportements conseillés, en effet, ne partent pas du souci de gérer le moins mal possible les différences entre les personnes, mais de la volonté d'uniformiser tout le monde et de nier l'individu. Semblable option est sans doute légitime en situations de crise et d'urgence, mais elle est inacceptable de la part d'une spiritualité qui entend proposer une façon de vivre le quotidien.

Cette parenté avec les régimes politiques où l'idéal recherché et les abus à éviter sont de plus en plus unanimement reconnus, permet d'entrevoir quelle devrait être l'option acceptable de la part d'une spiritualité. Une fois accepté le fait que les situations concrètes seront toujours moins claires et pures que l'idéal recherché et qu'il se trouvera souvent des circonstances où différentes influences viendront perturber les objectifs poursuivis, il reste que les spiritualités les plus susceptibles de faire l'objet d'un choix, sous l'angle de la question ici soulevée, devraient être celles qui manifestent clairement leur respect de l'individu et de son cheminement personnel.

* * *

Avant de clore ce chapitre, il convient d'ajouter quelques remarques sur la place accordée aux modèles et aux maîtres dans le fonctionnement des spiritualités. Nous estimons que c'est le lieu propice pour aborder ce sujet, étant donné les retombées qu'il a sur les relations entre les personnes.

Qu'il s'agisse de modèles comme les saints ou de maîtres comme les fondateurs ou iniateurs de courants spirituels, l'objectif visé semble être de proposer à l'admiration et à l'imitation de la majorité des personnes exemplaires, ou même surhumaines. La force de motivation de tels personnages et la qualité remarquable de leur expérience légitiment la plupart du temps le fait de les proposer comme modèles à imiter, comme inspirations à écouter. Des excès sont toutefois possibles et doivent être identifiés pour que l'on puisse éviter les spiritualités qui s'y livrent. La mise en valeur de ces maîtres et modèles est parfois à ce point absolutisée que les personnes, invitées à les suivre et à les imiter, doivent pour ainsi dire renoncer à leur propre expérience et cesser de se reconnaître une existence propre. Plutôt que de recevoir de ces maîtres et modèles un élan initiateur qui leur permette de devenir elles-mêmes, ces personnes en viennent à vivre par procuration et par emprunt dans des situations parfois abusives. Elles ne pensent plus par elles-mêmes, mais elles répètent ce qu'elles ont appris; elles ne décident plus par elles-mêmes, mais elles se conforment servilement aux manières de faire enseignées.

Il n'est pas nécessaire d'insister pour saisir à quel point les abus peuvent être néfastes à la qualité des relations entre les personnes. À chaque fois qu'une spiritualité cède à la tentation d'imposer à ses membres un mode d'imitation servile, elle accepte en son sein un ferment de mort, car elle consent à la perte de la richesse et de la créativité des individus.

Les abus possibles une fois démasqués, il faudrait ajouter que la vie spirituelle peut largement profiter de l'apport d'un ancien, si la filiation spirituelle ainsi instaurée sait respecter les individus. La relation maître-disciple n'en est pas toujours une de dépendance excessive et, quand les personnes savent s'y reconnaître et s'y respecter, elles peuvent favoriser la croissance de l'une et l'autre.

4

La connaissance humaine

Nous abordons peut-être le chapitre le plus difficile de notre ouvrage. La connaissance humaine est en effet l'objet de réflexions et d'explications qui remontent très loin dans le temps et qui n'en finissent pas, encore aujourd'hui, de se prolonger et de se complexifier. La façon dont les spiritualités ont cherché à se situer à l'égard de la connaissance est tout aussi complexe. Parfois soucieuses de respecter les difficultés rencontrées pour expliquer le phénomène de la connaissance, les spiritualités ont aussi opté, dans l'histoire ancienne et actuelle, pour des solutions dont il est plus difficile de rendre rationnellement compte. Ainsi la référence à des révélations cachées, venues de Dieu ou fournies par des sages exceptionnels, est souvent intégrée au système épistémologique d'une spiritualité, sans que le souci de respecter les explications des manières les plus habituelles de connaître ne soit prises en compte. Semblables pratiques sont d'autant plus problématiques qu'elles voudraient soustraire les spiritualités concernées à tout regard critique, sous prétexte que, de toute manière, il faut voir les choses de l'intérieur pour les saisir dans leur vérité. Sujet complexe, donc, parfois manipulé de façon perverse par certaines spiritualités qui se réclament de situations exceptionnelles pour échapper aux fonctionnements les plus universellement reconnus. Rappel pour nous de la nécessité d'avancer de façon prudente et le plus rigoureusement possible. Rappel aussi de l'urgence de ce chapitre, car c'est souvent au nom des positions adoptées face à la connaissance que les spiritualités prétendent se soustraire à tous les autres critères que nous avons mis de l'avant.

Connaître: qu'est-ce à dire?

L'étymologie du mot est souvent mise à contribution pour arriver à une première approximation de sa signification. Connaître, c'est naître avec, au sens de s'ouvrir à, de devenir d'une certaine manière ce que l'on n'est pas. L'œil et l'oreille donnent lieu à des exemples suggestifs de cette transformation. Le savoir advient au terme d'une transformation où le sujet retient en lui quelque chose de son objet, tout en demeurant distinct de cet objet.

La connaissance ne se confine toutefois pas à ce seul domaine des réalités sensibles. Toute une autre démarche de connaissance est encore possible au-delà ou à côté des informations perçues par les sens. Il y a dans la personne une force, affublée de différents noms, capable de créer des liens entre les perceptions sensibles, de construire des raisonnements, d'imaginer d'autres objets et ainsi de suite.

En fonction des positions adoptées à l'égard des questions du premier chapitre sur la spécificité humaine, on situera de façon différente les liens entre connaissance sensible et connaissance intellectuelle. Comme la connaissance fait appel à une disposition à devenir l'objet connu, on dira parfois que c'est la dimension spirituelle de la personne qui seule permet la vraie connaissance, parce que seule vraiment capable d'une telle modification. La connaissance des sens sera dès lors comprise comme une pâle copie de la vraie connaissance, en raison de l'opacité qu'amène inévitablement la matière par sa présence. D'autres théories soutiendront, au contraire, que les perceptions sensibles sont à l'origine de toute connaissance et que même l'esprit le plus alerte ne saurait s'en passer. Dans un cas, la connaissance atteindra son sommet de perfection par sa capacité de faire abstraction des données sensibles, dans l'autre elle ne sera à la limite vraie que par la possibilité d'être vérifiée par rapport aux perceptions sensibles.

Voilà qu'apparaît alors la question majeure de la réflexion sur la connaissance. Il ne suffit pas de débattre de la part à reconnaître aux connaissances sensibles et à celles venues de la raison ou de l'esprit, il est encore nécessaire de parvenir à affirmer le savoir comme vrai ou faux. Le jeu des illusions est toujours possible, tant du côté des sens que de celui de l'esprit. La démonstration en est facile pour le cas de la connaissance sensible. Nos sens peuvent nous tromper de multiples façons; mais l'esprit aussi peut succomber à des illusions, même si elles sont plus subtiles et plus difficiles à repérer. Le désir, l'imagination et l'affection s'infiltrent parfois subtilement dans les démarches rationnelles qui se veulent rigoureuses, et ils en gâtent l'exactitude.

Pour contrer tous ces obstacles à la connaissance exacte et vraie, l'histoire de l'humanité déborde de procédés, matériels et intellectuels, élaborés avec le souci de la précision et vérifiés au nom de la quête du vrai. Des outils toujours plus perfectionnés contrôlent les informations sensibles et offrent des données de plus en plus certaines. Des réflexions logiques, épistémologiques et herméneutiques se donnent aussi la main pour qualifier les certitudes rationnelles et identifier les conditions selon lesquelles on peut s'en approcher.

Les êtres humains n'ont donc pas ménagé les efforts pour arriver à des connaissances toujours plus certaines et vraies. Mais les puissances incommensurables de connaissance humaine et l'amplitude tout aussi illimitée du domaine connaissable font perdurer une zone qu'on ne franchit bien souvent qu'en acceptant d'outrepasser les règles connues. Les sciences, même les plus rigoureuses, acceptent ainsi de s'appuyer sur des postulats invérifiables ou des hypothèses de travail qu'elles maintiendront jusqu'à la découverte d'une explication plus satisfaisante. Les spiritualités aussi ont recours à des explications qui permettent de franchir le monde de l'inexpliqué. Elles le feront le plus souvent par l'appel à la foi. Comme nous le disions, toutes les spiritualités en viennent à recourir à la foi à un moment ou l'autre. Leurs façons de le faire ne sont toutefois pas identiques et elles permettent de les distinguer et, éventuellement, de les évaluer.

Le sens de la foi

La foi n'est pas que de l'ordre de la connaissance, même si on fait le plus souvent appel à elle dans ce contexte. Il y a, en effet, deux composantes à reconnaître dans la foi. On doit considérer, d'une part, le mouvement de foi dans la personne qui accepte de poser cet acte. Il s'agit d'une capacité d'accueillir et d'accepter ce qui ne peut pas être imposé à l'évidence. Ce qui est proposé comme devant être tenu par ce mouvement de foi fait, d'autre part, aussi partie de la foi. L'objet de foi, si on veut parler de cette façon commode, est le complément nécessaire du mouvement de foi, pour la constitution de ce qu'on appelle globalement la foi.

La foi peut rendre service à la connaissance en lui donnant accès à des contenus par ailleurs inatteignables ou invérifiables. Devant la difficulté de respecter les exigences de la connaissance rigoureuse, il peut être tentant de faire intervenir la foi à temps et surtout à contretemps. Cet usage abusif de la foi a pour effet de vicier la qualité de la connaissance et de dénaturer la foi. S'il est légitime de conjuguer la connaissance avec la foi, il faudra le faire en respectant certaines conditions indispensables à la sauvegarde de la connaissance et de la foi authentiques. Ces conditions appartiennent autant au mouvement de foi qu'à l'objet qu'il envisage.

Du côté du mouvement de foi, les conditions à respecter pour que ce mouvement soit légitime tiennent aux raisons qui justifient ce mouvement. Au nom de quelles raisons une personne est-elle légitimée de recourir au mouvement de foi? Essentiellement, ces raisons tiennent aux motifs personnels du sujet croyant, à la qualité du ou des témoins proposant un objet, et à la plausibilité de l'objet. Ce dernier point de repère concernant l'objet de foi, nous y reviendrons un peu plus loin.

Dans l'examen des motifs qui peuvent amener une personne à consentir au mouvement de foi, le travail consiste à identifier les raisons, obvies ou cachées, qui poussent en ce sens. Le jeu des émotions, l'impact de l'histoire individuelle et l'influence de l'entourage s'avèrent des domaines qu'il est particulièrement important de scruter à la loupe. Mentionner ces réalités donne tout de suite à comprendre, par ailleurs, que personne n'aura jamais fini de faire l'examen de ses motifs personnels de croire. Il en est de ce domaine comme de celui de la relation amoureuse: la personne qui voudrait être absolument certaine de la pureté de ses motifs avant d'avouer son amour serait sans doute réduite éternellement au silence! La règle qu'il apparaît sage de suivre consiste à demeurer toujours vigilant, toujours prêt à soumettre à un examen critique son mouvement de foi et à en expurger les motifs moins légitimes.

La difficulté se dédouble dans le cas de l'évaluation de la fiabilité des témoins. Non seulement il faudrait parvenir à savoir qui ils sont vraiment, mais il serait encore souhaitable d'être le plus au clair possible sur les raisons qui amènent à leur faire confiance. Malgré ces difficultés pour ainsi dire insurmontables, il arrive que des témoins soient estimés dignes de confiance et susceptibles d'être écoutés parce satisfaisant à un certain nombre d'exigences vérifiables.

On le voit clairement, la personne appelée au mouvement de foi devra chercher à poser ce geste le plus lucidement possible, tout en acceptant que demeure une marge d'erreur et de doute. Si cette personne entend aussi respecter les exigences de la connaissance, elle prendra garde de ne pas multiplier inutilement les gestes de foi, mais de réserver ce mouvement délicat et précieux pour des situations qui en valent le coup. Qu'est-ce à dire? Retour de l'objet de foi.

Nous avons vu que la foi, comme mouvement de foi en tout cas, n'est pas que de l'ordre de la connaissance, mais qu'elle met aussi en jeu d'autres puissances, comme la volonté et les émotions. Au moment d'aborder le thème de l'objet de foi, on pourrait tout de suite dire qu'ultimement la foi consent à la dissolution de son objet, devenue consciente que tout ce qu'elle a ainsi nommé ne correspond à la visée qui la porte. C'est l'expérience des grands spirituels évoquant la foi nue, la foi sans objet identifiable de façon précise et définie.

Avant de parvenir à ce sommet de l'expérience de foi, les croyants mettent toutefois un contenu en face de leur mouvement de foi. Ce contenu est nommé et décrit avec le plus grand soin, car il en va de la légitimité de l'acte de foi. L'objet de foi étant par définition irréductible au simple jeu de la raison, est-ce à dire qu'il peut, ou doit, échapper tout à fait au pouvoir de celle-ci? Les personnes particulièrement respectueuses des lois de la connaissance et désireuses de conjuguer ensemble foi et connaissance, et non pas d'annuler la dernière par l'intervention de la première, souhaiteront que l'objet soumis à leur foi soit au moins plausible. Nous entendons par là que l'objet de foi n'entre pas en contradiction directe avec les certitudes les plus assurées du monde de la connaissance. Nous rejoignons en même temps la conviction des meilleurs interprètes de la foi, qui soutenaient que foi et connaissance ne sauraient se contredire, si l'une et l'autre parvienent à faire la vérité dans son domaine.

Pour notre part, nous avons accepté de présenter ces longues explications pour qu'il soit bien clair que l'appel à la foi ne peut pas humainement se faire au détriment de la démarche intellectuelle. Sur la base de ces explications, il est maintenant possible de passer à l'examen des positions adoptées par différentes spiritualités et de proposer une évaluation de leurs options à partir des conceptions de la personne sous-jacentes à ces options.

Les pratiques des spiritualités

Il y a une pratique, encore trop largement répandue, qui doit être dénoncée d'entrée de jeu. Elle se présente à peu près ainsi. Comme la foi donne accès à ce qui «dépasse» la raison, plus les objets de foi seront irrationnels, au sens de contraire aux critères de la raison, plus ces objets seront pertinents et plus la foi sera grande. Cette version revue du *credo quia absurdum* (je crois parce que c'est absurde) ne saurait être reçue dans un monde respectueux des personnes invitées à croire. Y consentir équivaudrait à disqualifier du revers de la main toutes les connaissances acquises à travers les siècles et auxquelles on continue de s'en remettre pour l'organisation de la vie quotidienne. Si le produit de la connaissance est à prendre au sérieux, il ne peut pas tout simplement être mis entre parenthèses quand on passe au domaine de la foi[12].

Une version plus subtile de cette première pratique consiste à reconnaître la valeur et la pertinence des conclusions scientifiques pour le monde terrestre, tout en proposant pour la gouverne de la vie spirituelle des affirmations contraires, mais acceptables parce que venues d'ailleurs et relevant de la foi. C'est la situation de certaines spiritualités qui se fondent sur des révélations personnelles, sortes de découvertes anciennes et cachées, au nom desquelles elles prétendent donner accès aux dimensions secrètes de l'être humain et lui dicter des comportements. Au-delà de la diversité des explications sur les modalités d'apparition de telles connaissances, il est permis de dire qu'elles comportent le plus souvent les caractéristiques suivantes. Elles s'affirment invérifiables et incontrôlables par la raison. Elles concernent les profondeurs les plus secrètes de la personne. Elles impliquent des conséquences importantes pour la gestion de la vie spirituelle. Finalement, elles ont été communiquées sous le couvert du secret, à une époque qui se perd dans la nuit des temps, et elles sont réservées à quelques êtres élus et privilégiés.

S'il ne répugne pas à la raison de reconnaître la possibilité de semblables révélations, il lui est bien difficile d'oser en prendre au sérieux le contenu, quand ce dernier contredit tout à fait et de bout en bout ses meilleures conclusions. On pourrait invoquer en faveur de ces révélations le fait qu'elles s'occupent parfois d'aspects sur lesquels la science demeure encore bouche bée ou muette. Combien de fois se limitent-elles aux zones ignorées par la science et combien de fois n'hésitent-elles pas à s'aventurer dans des domaines connus, tâchant d'y semer la confusion? Selon les explications déjà fournies sur le mouvement de foi et sur son objet, nous ne croyons pas légitime d'engager notre foi envers de tels objets, ni de faire crédit à des témoins porteurs d'affirmations aussi douteuses.

Faudra-t-il dire la même chose à propos des spiritualités se réclamant de révélations divines?

Nous faisons face ici à un dilemme insurmontable. Il aurait fallu, en effet, avoir déjà présenté nos réflexions sur la place de Dieu dans les spiritualités, mais ces réflexions à venir devront tenir compte de ce que nous dirons immédiatement sur les révélations d'origine divine. Car les images que les spiritualités se font de Dieu viennent pour une large part de ce qu'elles acceptent comme le fruit de ces révélations. Comme il n'est pas possible de faire les deux opérations en même temps, nous invitons le lecteur à consulter au besoin et à prendre en compte les développements du chapitre six.

La situation que nous abordons est donc celle de ces religions et spiritualités qui se fondent sur une révélation venue de Dieu lui-même. Comme la plupart de ces religions et spiritualités ont consigné par écrit le fruit de ces révélations et qu'elles conservent précieusement ces écrits dans un livre unique, elles sont appelées religions du livre. La question qui se pose est alors de savoir quel comportement adopter à l'égard de ce livre. Certains, soulignant surtout l'origine divine, prétendent qu'il faut prendre à la lettre tout ce qui a été écrit; c'est l'approche appelée fondamentaliste. D'autres, plus sensibles aux conditions historiques d'apparition de ces révélations, pensent qu'il est nécessaire de toujours réinterpréter ces écrits anciens à la lumière des situations nouvelles; on parle alors d'une approche interprétative ou herméneutique. Que faut-il en penser? Est-il possible de trancher?

Disons tout de suite que la profondeur de la différence entre ces deux options est si grande que nous ne prétendons nullement pouvoir faire changer d'avis quiconque a déjà pris parti pour l'une ou l'autre. Serait-il possible d'oser une telle entreprise de persuasion dans une démarche intellectuelle, il resterait encore à fouiller tout le domaine des émotions et des volitions impliquées; semblable tâche donnerait aux travaux d'Hercule l'allure de vacances! Nous ne proposerons pas une démarche de conversion, quasi impossible, mais des explications qui se voudraient utiles à ceux et celles qui n'ont pas encore opté et qui cherchent des repères aptes à les aider dans leur choix.

Savoir comment se situer face à la révélation divine relève de la façon choisie pour rendre compte des modalités de relations entre Dieu et les êtres humains. En tout état de cause, on reconnaîtra qu'il s'agit de saisir comment Dieu, éternel et en tout spirituel, peut entrer en communication avec les humains, temporels et en partie matériels. La brêche qui ouvre une possibilité de communication tient sans doute à la dimension spirituelle de la personne. Le problème reste de savoir si la dimension matérielle de la personne sera présente et active dans ce processus de communications ou s'il ne relèvera que de la dimension spirituelle. Autrement dit, il s'agit de trancher si oui, ou non, la révélation advient dans l'histoire.

Si la communication entre Dieu et les êtres humains se joue essentiellement d'esprit infini à esprit fini, elle échappe aux conditions historiques habituelles de l'humanité. Car l'histoire des personnes n'est pas seulement une histoire d'esprits, mais aussi une histoire qui assume les conditions matérielles de leur existence.

Si la révélation divine est à ce point spirituelle qu'elle devient an-historique, il est permis de se demander en quoi elle sera pertinente pour l'existence humaine, à la fois spirituelle et matérielle. À moins d'opter pour une spécificité humaine franchement dualiste et de dévaluer complètement les aspects physiques et matériels de la personne, on ne voit pas comment il serait possible de parler d'une révélation uniquement spirituelle. Pourtant, c'est bien l'option que retiennent les fondamentalistes quand ils qualifient d'éternelle la révélation qu'ils recouvrent d'un voile d'immutabilité. La révélation, qui est donnée et doit être reçue dans la lettre de l'écriture sacrée, est en fait une révélation revêtue d'un caractère d'éternité, et qui devient dès lors absolument spirituelle et an-historique.

L'alternative à une option aussi spiritualisante consiste à reconnaître que la communication entre Dieu et les êtres humains s'est élaborée en tenant compte de tout ce que sont ces derniers. Quand Dieu entre en communication avec les personnes, il respecte tout ce qu'elles sont: corps et esprit. Dans cette perspective, la difficulté ne vient pas du côté de la pertinence de cette révélation, puisqu'elle s'adapte aux conditions historiques de l'humanité. Le problème vient du fait que la révélation, par son caractère historique, garde la marque du moment précis de son avènement et qu'elle doit donc continuellement être réinterprétée en fonction des nouvelles situations historiques où elle est reçue. La nécessaire interprétation rend évidemment plus aléatoires les conclusions qui seront dégagées de la révélation d'origine historique. Pour sauvegarder l'absolue limpidité de la révélation, certains n'hésiteront pas à éliminer son aspect historique et à mettre ainsi en jeu la pertinence de ce message pour les êtres humains qui vivent dans une histoire. Pour assurer la pertinence historique de la révélation, d'autres s'efforceront de conjuguer ensemble la qualité contraignante d'une révélation d'origine divine et le caractère relatif de la compréhension à laquelle ils parviennent dans leurs efforts d'appropriation de la révélation.

Selon l'optique retenue dans ce livre, qui veut s'en remettre à des critères anthropologiques pour évaluer les spiritualités, le choix entre fondamentalisme et herméneutique semble s'imposer à l'évidence, si est acceptée la position qui fait de la personne un être à la fois spirituel et matériel. Opter pour le fondamentalisme implique par ailleurs une remise en question de la dimension corporelle de l'être humain, puisque ce n'est qu'à ce prix qu'est possible une révélation qui échappe aux conditions historiques, qui dit toujours et partout la même chose et dans le même sens.

Pour répondre à la question soulevée au début de ces explications, on dira que, pour des raisons différentes du cas des connaissances secrètes d'origine humaine, les révélations d'origine divine peuvent aussi être soumises à un examen rationnel critique. Semblable opération est tout au moins possible, légitime et nécessaire, quant aux conditions de réalisation de semblables révélations, si ce n'est eu égard à leur contenu. S'y livrer ne signifie aucunement démontrer un manque de respect à l'égard de Dieu ou un refus de se soumettre à sa parole, mais traduit la volonté d'assurer que cette parole convienne vraiment aux personnes interpellées et qu'elle les rejoigne telles qu'elles sont.

Nous n'insisterons jamais assez sur la nécessité de demeurer critique et vigilant à l'égard des connaissances proposées par les spiritualités, tant est grand le pouvoir qu'elles se donnent ainsi sur leurs membres. Pouvoir d'autant plus absolu qu'il ne s'accompagne pas des signaux d'alarme que présentent les abus du pouvoir physique. Soumettre physiquement quelqu'un à son pouvoir, de façon abusive, laisse en effet des traces qui suscitent immédiatement la réprobation. Il est plus facile de cacher des abus de pouvoir dans le domaine de la connaissance derrière la prétention à fournir un savoir inédit et autrement inaccessible.

Une remarque doit toutefois être ajoutée, en sourdine, au sujet du langage, ou plutôt des langages utilisés par les spiritualités. Elles adoptent souvent un langage énonciatif formel, dont le contenu peut être soumis aux critères d'évaluation ordinaires. Quand elles s'expriment ainsi sur les réalités de notre monde, leurs énonciations doivent répondre aux exigences auxquelles se soumettent les sciences de tout genre. Les connaissances qu'elles proposent ne sont toutefois pas toujours offertes dans un langage aussi formel.

Les spiritualités s'accompagnent le plus souvent de rites bien organisés et ont recours à des expressions symboliques et artistiques dont le sens ne se livre pas toujours de façon immédiate.

L'histoire nous apprend que des spiritualités ont parfois dénigré et rejeté le message d'autres spiritualités en raison même d'un manque de sensibilité aux différences de langage. En d'autres circonstances, des spiritualités se sont mutuellement «excommuniées» à cause d'une incapacité de traduire et de comprendre le langage qu'elles utilisaient. Toutes les différences ne viennent évidemment pas d'une simple différence de langage, mais il importe d'en tenir compte quand c'est le cas, pour dépasser les mésententes qui ne seraient que verbales.

5

Les relations entre les sexes

Bien plus qu'une concession à l'actualité des débats soulevés par les mouvements féministes, ce chapitre rejoint une réalité qui est au cœur de l'expérience spirituelle. Qu'on pense aux vierges et vestales d'autrefois, aux vœux de chasteté ou aux ritualités religieuses entourant la vie des couples, la différence entre les hommes et les femmes a occupé, et occupe encore, une place déterminante dans l'aménagement des diverses spiritualités.

La référence à cette différence entre les sexes n'est pas toujours explicitée et elle est même rarement mise au premier plan. Est-il fantaisiste d'imaginer que c'est justement en raison de son importance, et surtout des craintes obscures qu'elle soulève, que cette différence n'est souvent décelable que sous le voile épais des lois et réglementations proposées pour en contrôler l'impact.

La différence sexuelle renvoie, en effet, à des moments et des expériences de l'existence humaine qui ne laissent jamais indifférent. Que ce soit le mystère de la naissance d'un enfant ou celui de l'amour entre un homme et une femme, on se retrouve devant des réalités qui émeuvent et qui font naître des sentiments allant de l'admiration la plus pure à la crainte la plus profonde. Grandeurs et risques s'articulent pour tantôt donner des ailes et tantôt causer le vertige.

Un enjeu aussi important dans l'existence humaine ne pouvait échapper à l'œil vigilant des diverses spiritualités. Elles sont intervenues et interviennent pour proposer des façons de vivre cette différence, qui s'accordent avec leurs visées spirituelles tout en convenant aux personnes. Ont-elles toutes réussi dans leurs entreprises avec le même succès? C'est ce que nous serons mieux à même d'évaluer après avoir identifié les enjeux en cause et les moyens de les prendre en compte.

Les enjeux

Premier enjeu de la réalité biologique, la différence des sexes permet la survie de l'espèce. Contrairement au monde animal, où l'exercice de la fécondité répond à des règles instinctives précises, les personnes seront invitées à se donner une descendance par l'appel du plaisir. Un plaisir et un bien-être suffisamment intense et fort pour s'avérer une puissance de persuasion convaincante, mais un plaisir qui peut être séparé de la recherche de la fécondité et vécu pour lui-même. Nouvel enjeu qui consistera à conjuguer deux objectifs isolables: la recherche de la fécondité et la quête du plaisir.

Si un homme et une femme suffisent pour vivre la différence des sexes, se perpétuer par l'exercice de leur fécondité et se donner du plaisir, ils ne sont pas les seuls concernés par leur sexualité. Les autres, comme groupe social, entretiennent des attentes, manifestent des volontés et expriment des craintes à cet égard. L'organisation et la réglementation de la sexualité en fonction des objectifs d'un groupe, d'une société, d'une nation, se présente comme un nouvel enjeu. Même si ces décisions sociopolitiques ne relèvent pas toujours directement d'elles dans toutes les cultures et les civilisations, les spiritualités servent souvent d'inspiration aux pouvoirs publics qui tranchent ces questions.

Sauf exception rarissime, enfin, la gestion harmonieuse de la différence entre les sexes n'apparaît pas comme l'objectif ultime de la vie spirituelle. Composante importante sans doute, cette réalité doit donc être intégrée à la finalité ultime d'une spiritualité. Trouver la place de la différence des sexes dans une spiritualité devient un nouvel enjeu qui sera, lui aussi, soumis à une kyrielle de variantes.

Les pratiques des spiritualités

Les enjeux, présentés plus haut de façon isolée, se vivent rarement de cette façon et ils sont encore plus rarement pris en compte séparés les uns des autres par les spiritualités. Le plus souvent, les propositions de solutions qui seront mises de l'avant s'appuieront sur des réponses déjà fournies à d'autres questions concernant la personne humaine. Ont ainsi existé dans l'histoire des spiritualités qui manifestaient une telle méfiance envers tout ce qui est d'ordre matériel, qu'elles en venaient à imposer un rejet de toute activité sexuelle et l'adoption d'un célibat obligatoire et universel au nom de leur conception de la vie spirituelle. Nous essaierons de considérer les enjeux un à un, malgré leur intrication profonde dans les pratiques des spiritualités.

En rapport avec le premier enjeu déjà identifié, il ne faudrait pas oublier que la tradition culturelle occidentale a longtemps soutenu que le rôle premier et décisif appartenait à l'homme seul. Porteur de la semence, c'est de lui que venaient les enfants, et la femme offrait seulement un lieu propice au développement de cette semence. Était-ce là une explication qui dérivait du modèle patriarcal, ou une explication qui servait à le justifier, toujours est-il que dans une telle perspective, il n'était pas étonnant que la femme dût se résigner à semblable soumission à l'homme. Elle était au service du besoin que l'homme a de se reproduire et de s'assurer une descendance. Elle était utile et acceptée pour son apport indispensable à la maturité de la semence, mais elle demeurait au second plan, comme l'indiquent, dans presque toutes les cultures, la transmission du nom, celui du père, et l'établissement de la généalogie, selon la lignée des noms paternels.

Selon des critères plus récents, l'appréciation du rôle de la femme dans la procréation et la situation sociale qui en découlait autrefois, seraient tout à fait inacceptables. La reconnaissance du fait qu'il s'agit justement de procréation et que, dans cette activité, l'homme et la femme exercent des rôles différents mais tout aussi indispensables l'un que l'autre, milite en faveur de la disparition des «doubles standards» d'autrefois, que les spiritualités ont souvent contribué à légitimer.

L'égalité de droit, et d'obligation, entre l'homme et la femme face à la propagation de l'espèce tend à s'affirmer de plus en plus, et les législations, les institutions et les coutumes connaissent de profondes transformations pour rendre compte de cette nouvelle réalité. Il n'y a pas lieu de dresser ici un inventaire des progrès et des retards enregistrés, mais la direction qui s'affirme de plus en plus oblige les spiritualités à revoir leurs considérations et leurs discours. Elles pourront continuer à célébrer les beautés de la naissance et le mystère de la vie, mais elles devront le faire en faisant preuve de plus de justice dans la reconnaissance des rôles des intervenants. Le pouvoir que l'homme s'était arrogé abusivement, même si c'était par ignorance à l'origine, devra être repartagé en ce qui concerne la fécondité, et aussi à propos du plaisir.

On serait presque porté à comprendre que, là où la fécondité dépendait presque uniquement de l'homme, il était «normal» que le plaisir lui revienne à lui seul. Eu égard à la fécondité, en tout cas, l'apport convaincant du plaisir s'adressait légitimement à l'homme, puisque la survie de l'espère dépendait de lui. Par extension, cette situation privilégiée du mâle avait aussi des répercussions sur la considération plus générale du plaisir sexuel. Là où ce plaisir était accepté comme une réalité bonne et désirable, l'homme pouvait chercher à se le procurer à volonté et, pour ainsi dire, à mettre la femme à son service, à cet effet. Les différents modèles sociaux se sont révélés très prolifiques dans l'élaboration de structures et l'acceptation de comportements susceptibles d'assurer le plaisir surtout masculin. Là où le plaisir sexuel était dévalué et considéré comme menaçant, la femme se voyait spontanément reconnaître le rôle de tenteresse et le statut de menace dangereuse.

Autrement dit, si on associait fécondité et plaisir, l'homme s'arrogeait le pouvoir en raison de son rôle présumé dans la survie de la race, et cela a duré même après que l'apport biologique de la femme ait été reconnu. Quand on séparait l'exercice de la fécondité et la recherche du plaisir, on ne manquait pas de maintenir d'une manière ou d'une autre la situation privilégiée du mâle.

Les spiritualités sont surtout intervenues pour essayer de clarifier les liens entre fécondité et plaisir. Leurs positions s'alignaient sur leur appréciation de la sexualité et elles pouvaient ou bien concéder une place plus ou moins grande au plaisir, ou bien en dénigrer la recherche, sans chercher, dans la majorité des cas, à modifier les rapports entre les sexes. Le jour où les spiritualités comprendront autrement ces rapports, il n'est pas interdit de croire qu'elles verront aussi d'un autre œil les liens entre fécondité et plaisir.

Il est important, en effet, que les spiritualités cherchent à repenser leurs façons d'inspirer les rapports entre les sexes, quand ce ne serait qu'en raison de l'influence de cette inspiration sur la conduite des législateurs qui identifient et réglementent les comportements permis, ou non. La dimension sociale de la sexualité, particulièrement visible dans l'exercice de la fécondité, amène en effet les groupes, sociétés et pays, à se donner des lois auxquelles ils entendent soumettre les individus. Ces lois ont souvent gardé la trace indélébile des vues patriarcales ayant présidé à la compréhension de la fécondité et de ses liens avec le plaisir. Si ces lois pouvaient être légitimes, à une époque, pour accorder le bien du groupe et celui des personnes, elles ne seront acceptables, dans leur contenu à venir, que si les personnes, hommes et femmes, y sont traitées de façon juste et équitable.

Comme dans le cas des relations sociales en général, on retrouve à propos de ce sujet des spiritualités qui cherchent à faire évoluer la mentalité des législateurs vers plus de justice, tandis que d'autres fonctionnent allègrement à l'intérieur du cadre autorisé par les lois en place. En cela, les spiritualités dévoilent leurs positions fondamentales à l'égard de la différence entre les sexes et la place qu'elles accordent au vécu sexuel dans la vie spirituelle.

Les spiritualités sont rarement neutres à l'égard de la différence sexuelle et de la façon dont les personnes la vivent. Inspirées par une méfiance face à tout ce qui est de l'ordre matériel, certaines manifestent une répulsion, qui peut aller jusqu'à la négation totale, à trouver une place à la sexualité dans la vie spirituelle. L'isolement des sexes, le refus de la génitalité et la concession de l'acte procréateur aux seules personnes mariées se rencontrent parfois dans un ensemble de directives qui visent à protéger de la sexualité. La chasteté, souvent comprise dans le sens de l'idéal de la virginité, se traduit alors par l'observance de multiples règles, beaucoup plus que comme une façon de vivre susceptible de favoriser la vie spirituelle. Semblable prise de position aura comme une de ses plus significatives conséquences de réserver la vie spirituelle, la vraie et la plus parfaite, aux personnes qui non seulement s'abstiennent de toute activité génitale, mais qui aussi, dans leur vie, réduisent le plus possible la place de l'autre sexe. Même quand ces spiritualités disent, par ailleurs, reconnaître la valeur de la sexualité, elles expriment le parti pris contraire par les comportements qu'elles privilégient.

Plus sensibles aux capacités de don et d'amour que la différence entre les sexes peut permettre de développer, d'autres spiritualités s'efforcent d'intégrer au vécu spirituel l'élan et le dynamisme de la sexualité. Tantôt franchement libertaires, tantôt préoccupées de l'atteinte d'un équilibre, ces spiritualités acceptent que la différence sexuelle, profondément ancrée dans la réalité physique et psychologique des personnes, se présente comme un défi et une chance pour la vie spirituelle. Un défi, parce qu'il y a effectivement un danger que des personnes soient blessées par les autres et aussi parce que les héritages culturels pèsent lourdement et ne facilitent pas les démarches pour se préparer à bien vivre la différence sexuelle. Une chance, facilement perceptible et reconnaissable dans la générosité, la créativité et l'audace des personnes qui acceptent de répondre aux appels de l'autre sexe.

L'évocation de tendances extrêmes suggère, encore une fois, que beaucoup de spiritualités s'efforcent de trouver un équilibre acceptable entre semblables absolus. Pour deux raisons, surtout, il n'est pas facile de pousser plus avant l'inventaire des différentes positions adoptées.

Malgré l'importance qu'elles reconnaissent à ces questions et le contrôle absolu qu'elles tendent à exercer, les spiritualités ne s'identifient pas d'abord par leurs options eu égard à la distinction des sexes. La plupart semblent, au contraire, préférer un style discret en cette matière et chercher à ne pas retenir l'attention par des options trop radicales ou très fortement annoncées.

Le comportement des individus, et même parmi les leaders les plus importants, vient aussi parfois déformer la ligne de pensée adoptée par une spiritualité. Le contexte social actuel, qui se plairait à démasquer les situations irrégulières, n'a pas pour peu contribué à entourer d'un voile relativiste les positions pourtant parmi les plus claires.

Plutôt que de ressasser indéfiniment les erreurs et les vues trop courtes soutenues par les spiritualités dans le passé, il serait sans doute plus profitable de les encourager à prendre en compte les découvertes scientifiques du siècle qui s'achève et à mettre tous leurs efforts à proposer des manières de vivre mieux adaptées.

Quant aux personnes qui ont à se choisir une spiritualité, une double mise en garde s'impose à l'évidence. Éviter, d'une part, d'opter pour des orientations trop absolues; l'histoire est remplie de situations où semblables options ont mené à des désastres. Ne pas absolutiser, d'autre part, les déclarations d'une spiritualité en la matière, car elles prennent souvent un sens tout relatif dans les pratiques courantes.

6

La référence à Dieu

> Socle mystérieux d'union entre les hommes,
> quand ils s'affrontent à elle [la question de Dieu]
> cherchant dans le secret,
> elle les oppose entre eux
> quand tous hors du silence lui donnent quelque réponse.
>
> Marcel LÉGAUT[13]

La tendance contemporaine s'accommode assez facilement de démarches spirituelles qui s'élaborent sans références explicites à Dieu. La situation historique est tout à l'opposé, au point qu'il est permis de dire que la naissance des spiritualités coïncident souvent avec de nouvelles compréhensions de Dieu et de ses relations avec les êtres humains. Il s'agit d'un sujet difficile, pour lequel la multiplication des discours et des explications n'est jamais parvenue à une solution claire, définitive et universellement reconnue. La volonté de parvenir à la vérité absolue et, surtout, le désir d'imposer comme définitives des formules toujours trop limitées ont, au contraire, contribué à la multiplication des théories et à l'apparition de positions contradictoires. Notre ambition n'est donc pas de trancher la «question de Dieu», mais de proposer des références utiles au choix d'une spiritualité.

Il convient aussi de souligner que, pour les personnes qui reconnaissent croire en Dieu, cette relation tend à occuper une place unique dans leur expérience spirituelle. Si toutes les questions précédentes sont déterminantes dans une spiritualité, il faut bien convenir que la foi en Dieu polarisera les efforts spirituels et marquera de sa présence l'attention portée à toutes les autres préoccupations. Inversement, la façon de porter les questions des chapitres précédents peut conditionner aussi de façon décisive la réponse à la question de Dieu.

L'existence de Dieu n'est plus évidente aujourd'hui et ne s'impose plus comme point de départ absolu à toute démarche spirituelle. Les réflexions philosophiques, théologiques et spirituelles obligent par ailleurs à renoncer à la volonté de répondre à cette question de façon uniquement rationnelle. Les preuves, les voies ou les arguments en faveur de l'existence de Dieu ne convainquent, de façon contraignante, que les personnes qui croient déjà en elle. Pour les autres, ces démarches rationnelles, malgré leur intérêt et leur rigueur, laissent toujours un seuil infranchissable entre l'objet démontré et ce que les êtres humains ont pris l'habitude de nommer Dieu.

Force est donc de reconnaître l'existence de spiritualités qui s'élaborent sans recourir à la présence de Dieu. Pour les croyants, il apparaîtra facile de reconnaître dans ces spiritualités l'existence d'un être, d'un absolu, qu'on pourrait identifier à Dieu. Mais pour les membres de ces spiritualités volontairement athées, il s'agira d'une interprétation abusive de leurs positions. Pour ces derniers, la facilité avec laquelle les croyants reconnaissent l'existence de Dieu et prétendent dire ce qu'il est devient bien souvent un argument de plus en faveur de sa non-existence. Si une réalité telle que Dieu existe, n'impose-t-elle pas une retenue silencieuse plutôt que des affirmations péremptoires? La question de l'existence de Dieu renvoie ainsi inévitablement à celles de sa nature et de ses relations avec le monde et ses habitants.

Parler de nature de Dieu est encore abusif, car cela présumerait qu'il est possible de dire, réellement et en vérité, qui il est en lui-même. Il est sans doute plus juste, et plus sage, de parler plutôt d'image(s) de Dieu. Ce que les personnes savent de Dieu correspond en effet à ce qu'elles en sont venues à croire à son sujet à partir des expériences qu'elles reconnaissent avoir faites de lui. Les représentations qu'elles se sont données du Dieu de leur foi ne peuvent pas, en ce sens, prétendre épuiser la réalité vers laquelle elles sont tournées. Tout au plus est-il permis d'espérer qu'à travers les siècles de questionnement et de réflexion, les progrès enregistrés dans les manières de parler de Dieu soient pris en compte et que les discours construits sur des vues merveilleuses et magiques soient passés au crible de la critique.

Par rapport à la question du choix d'une spiritualité, ces remarques signifient qu'il faut se méfier des spiritualités qui prétendent savoir exactement qui est Dieu, autant que des spiritualités qui demeurent absolument muettes et affichent une ignorance totale. Si Dieu est trop familier et connu, il est bien possible que ce que l'on nomme ainsi soit le fruit de l'imagination. Si Dieu est tout à fait inconnu, par ailleurs, en quoi son existence peut-elle être significative pour la gouverne spirituelle des personnes? À propos de Dieu, plus que jamais, la sagesse et la pratique exigent de tendre vers un juste milieu où Dieu et les personnes sont respectés dans ce que nous devinons d'eux.

Un aspect est particulièrement décisif: la façon de rendre compte des relations de Dieu au monde et à ses habitants. Dieu intervient-il dans le monde, et, si oui, comment? Ou bien laisse-t-il à son sort l'univers qu'il a créé?

La foi en l'existence de Dieu s'accompagne, en effet, le plus souvent de la foi en son action créatrice. Si Dieu existe, ce qu'il représente comme Dieu doit bien avoir joué un rôle dans l'apparition de notre monde. Une activité créatrice, au moins à l'origine de l'univers, semble irrécusable aux yeux de qui accepte de croire en Dieu. Tout de suite après cette affirmation, objet d'un consensus parmi les croyants, les spiritualités se distinguent et s'opposent dans leurs façons de se positionner eu égard aux conséquences actuelles du geste créateur initial[14].

Pour certaines spiritualités, Dieu a créé le monde et il n'a plus à intervenir dans son fonctionnement. Dieu est non seulement écarté par rapport à d'éventuelles interventions extraordinaires, mais il n'est plus nécessaire à l'existence du monde. Pour d'autres, Dieu, créateur du monde, doit veiller à l'existence du monde fini, qui demeure ainsi dépendant dans son origine et dans sa durée.

L'adoption de la dernière position, reconnaissant un rôle à Dieu dans l'existence actuelle du monde, ne met pas un point final au questionnement sur la façon dont Dieu exerce son présent rôle. Dieu veille-t-il sur le monde comme un bon parent veille sur ses jeunes enfants, intervenant à sa guise pour leur épargner les bévues et les orienter dans le sens du bien? Ou Dieu se contente-t-il de maintenir dans l'existence un monde qu'il laisse fonctionner selon ses règles et lois propres?

Dans la première explication, les croyants trouveront une justification immédiate à leurs prières de demandes et les assises à leur foi en une providence reconnue pour ses interventions bienveillantes. Ils seront par ailleurs confrontés à un obstacle majeur: le rôle de Dieu dans l'existence du mal. Si le Dieu provident répond aux prières et veille sur les besoins des siens, comment se fait-il que le mal continue de les atteindre?

L'autre ligne de réflexion se veut plus respectueuse du jeu des médiations, ou, si vous préférez, des lois de la nature et de la responsabilité des personnes. Elle acceptera que l'univers, créé par Dieu, dépende de lui pour son existence, mais elle tiendra en même temps que le monde obéit aux lois inscrites dans sa réalité et que les personnes y jouissent d'une part d'autonomie, qui les rend libres et responsables. Si certains tenants de cette approche acceptent la possibilité, occasionnelle et plutôt rare, d'une intervention extraordinaire de Dieu, le miracle, ils s'en remettent, pour leur compréhension du fonctionnement habituel de l'univers, aux lois de la nature et au jeu de la liberté humaine.

Face à toutes ces options, les spiritualités ont presque l'embarras du choix pour configurer leur orientation. Ce choix n'est toutefois pas innocent et il met encore en jeu différentes conceptions de la personne, alors même que les spiritualités prétendent n'exprimer que leur vision de Dieu.

Quand les spiritualités optent pour une image de Dieu où son activité créatrice se réduit au coup de pouce initial, elles impliquent aussi que le monde est complètement autonome et que les êtres humains peuvent maintenant rendre compte absolument de leur existence. Quelque fascinante que soit semblable perception, elle s'accorde difficilement à l'expérience de la communauté humaine. Les personnes font si souvent et de tant de manières l'expérience de leur finitude, qu'une spiritualité qui s'élaborerait à l'encontre de cette perception risquerait bien vite de leur apparaître fantaisiste et sans prise sur leur réalité.

Les spiritualités, par contre, qui multiplient les interventions directes de Dieu dans sa création, en sont vite réduites à ne prôner que la soumission et l'obéissance aveugles. Si Dieu dirige tout à sa guise, pour ne pas dire à sa fantaisie, s'il peut continuellement modifier le jeu des forces de la nature et réorienter les décisions des personnes, quel espace demeure encore pour l'exercice de l'autonomie humaine et de la liberté? Nos réflexions antérieures sur le sens de l'agir humain valent encore et militent en faveur d'une présence de Dieu au monde qui soit plus respectueuse surtout des êtres libres qui l'habitent. Vouloir, malgré tout, maintenir les interventions quasi arbitraires de Dieu dans le monde équivaut finalement à faire de lui un rival des êtres humains, quand ce n'est pas l'ennemi dont certains athées ont souhaité se défaire. Là encore, le choix s'impose de privilégier une image de Dieu qui soit à ce point respectueuse de lui qu'elle devienne aussi respectueuse des êtres qu'il a créés. Les spiritualités outrancièrement providentialistes ne prennent habituellement pas cette direction.

Est-ce à dire que les spiritualités, plus respectueuses des médiations mondaines de l'action et de la présence de Dieu, obligent à renoncer à la prière de demande et à abandonner la foi à la providence? Car c'est bien là l'objection formulée le plus souvent à l'encontre d'une image de Dieu selon laquelle sa présence est discrète et le plus souvent attentive à ne pas perturber l'ordre des choses. Un Dieu qui consent à respecter les lois de la nature et qui prend en compte les décisions des êtres libres a-t-il la possibilité de répondre aux prières et se trouvera-t-il une raison de pourvoir au bien de ses créatures?

Pour ce qui est de la prière, et tout particulièrement des demandes, il serait illusoire de prétendre influer sur la volonté de Dieu et irrespectueux de désirer le changer en fonction des désirs humains. La prière est une activité des personnes qui leur profite à elles, dans la mesure où elles font de cette activité une occasion d'exprimer leur désir pour arriver à l'accorder à celui de Dieu. Si les prières sont adressées à Dieu, ce n'est pas pour lui accorder un rôle de négociateur dans le dialogue souhaité, mais pour que sa présence, ainsi évoquée, soit toujours mieux comprise et intégrée à la gouverne de l'existence humaine.

Quant à la présence providentielle de Dieu au monde, il est certainement plus spectaculaire et convainquant de la mettre en cause pour tous les événements grandioses, merveilleux et, par ailleurs, inexpliqués. Chaque nouvelle découverte scientifique, chaque nouvelle explication rationnelle d'une phénomène ou d'un événement viendra toutefois écarter Dieu du monde et réduire comme une peau de chagrin le domaine de son action. Les spiritualités, qui prétendent que la présence et l'action de Dieu passent à travers l'épaisseur des mécanismes cosmiques et l'inédit des libertés humaines, n'éliminent pas pour autant la possibilité de cette présence et de cette action. Elles laissent au regard aiguisé des croyants d'en reconnaître les signes et d'en affirmer la signification pour eux. Ce n'est qu'à ce prix qu'elles parviennent à proposer une image de Dieu qui n'entre pas en conflit avec les personnes. Leur volonté d'identifier ainsi les gestes de Dieu dans le monde et de s'affirmer responsables de la reconnaissance de sa présence leur mérite notre approbation et milite en faveur de leur adoption.

Le jeu des alternatives, apparemment claires, proposé dans les présentes explications ne devrait pas laisser croire que c'est au nom d'une prétendue connaissance de Dieu, une connaissance supérieure à celle des autres, que nous établissons nos choix. Nous ne savons pas exactement qui est Dieu et, en cela, nous sommes dans la même situation que tous ceux et celles qui s'essaient à parler de lui. Nous soutenons toutefois que les représentations de Dieu et les discours construits pour le dire viennent pour une large part des personnes qui les élaborent. Parce que largement humains dans leur origine, parce qu'appelés à aider les personnes dans la gouverne de leur vie, ces images de Dieu peuvent toutefois être soumises au regard critique qu'autorise telle ou telle conception de la personne. Nos choix se légitiment à ce titre et s'inspirent d'une conception de la personne privilégiée tout au long du présent ouvrage. Qui refuse ces choix doit être conscient des options qu'il retient et qu'il écarte dans sa compréhension de lui-même et des autres personnes...

Conclusion

Notre intention de départ était d'offrir au lecteur à la recherche d'une spiritualité des points de repère utiles à la justification de son choix.

Dans ce but, nous ne croyions pas pouvoir nous en remettre aux indications empruntées à une religion, car cela aurait impliqué un choix préalable déjà posé et n'aurait pas correspondu à la situation concrète des personnes en quête d'une spiritualité.

Nous avons plutôt choisi de nous en remettre à des critères reliés à la conception de la personne, en d'autres mots, à des critères anthropologiques. Cette option méthodologique nous était suggérée par notre compréhension de la vie spirituelle comme réalité essentiellement humaine dans ses assises. Une fois que l'on accepte que la vie spirituelle vise à permettre aux personnes d'unifier leur expérience dans la connaissance et le dépassement de soi, il s'ensuit assez spontanément que les spiritualités, qui proposent des manières d'atteindre cet objectif, puissent être évaluées en fonction de leurs conceptions de la personne.

Si les spiritualités s'appuient inévitablement sur des conceptions particulières de la personne, elles ne sont pas toujours préoccupées de les identifier et encore moins de justifier leur choix. Il fallait donc trouver un moyen de repérer ces différentes conceptions de la personne présentes à l'élaboration des spiritualités, si on avait l'intention de les évaluer.

Dans le prolongement de recherches antérieures, nous avons proposé d'identifier les options anthropologiques des différentes spiritualités à partir des grandes questions et préoccupations qui sont toujours présentes, sous une forme ou une autre, à l'expérience humaine. La façon retenue par une spiritualité pour répondre à chacune de ces questions devenait alors un lieu révélateur de ses choix anthropologiques.

Pour évaluer, il ne suffit toutefois pas d'identifier ce qui peut être mesuré et jugé, encore faut-il s'entendre sur des règles de mesure. Nous avons reconnu d'entrée de jeu qu'il n'est plus possible, aujourd'hui, de proposer une conception de la personne qui fasse l'unanimité et qui puisse être reconnue comme règle universelle et permanente de mesure. Est disponible une approche scientifique qui réfléchit sur les options adoptées dans différentes cultures et qui identifie des consensus en train de s'établir. L'anthropologie n'entend plus définir la personne humaine, mais proposer le fruit de ses recherches et de ses réflexions aux personnes en voie de devenir toujours plus humaines. Même ainsi comprise, la référence à la conception de la personne demeurait, à notre avis, un outil fiable pour la démarche projetée.

Il peut arriver que les questions/préoccupations que nous avons retenues et autour desquelles nous avons élaboré notre réflexion, ne rejoignent pas directement celles du lecteur. Soit que les formulations que nous avons fournies ne rejoignent pas sa façon de les aborder, soit qu'il soit préoccupé par d'autres questions que nous n'avons pas su formuler. Même si nous pensons avoir repris les questions majeures de l'expérience humaine, telles qu'habituellement présentes dans les études anthropologiques, il se peut que nos recherches, et celles des autres, soient passées à côté d'une partie de la réalité et soient en attente d'une étude plus complète.

Si tel était le cas, il nous semble que la méthode, pratiquée dans le présent ouvrage, est suffisamment claire et simple pour que le lecteur puisse l'adapter à d'autres questions. Il lui suffira d'identifier les enjeux en cause dans sa question et le type de solution proposée par l'une ou l'autre spiritualité. Il sera alors en mesure d'identifier quelle conception de la personne a présidé à l'élaboration de cette solution et d'évaluer si cette conception lui semble convenable et adaptée.

* * *

Il nous est parfois arrivé en cours de réflexion de manifester nos préférences parmi les différentes conceptions de la personne. Soit au nom d'un consensus quasi unanime en train de se constituer, comme dans le cas des rapports homme-femme repensés dans les perspectives féministes, soit au nom de valeurs difficiles à remettre en question, comme dans le cas de l'autonomie et de la liberté de la personne, nous n'avons pas toujours affiché la neutralité promise au départ.

Il n'est pas de notre intention de revenir sur ces choix et nous en assumons la pleine responsabilité. En les identifiant, toutefois, comme des choix qui, malgré tout, ne s'imposent pas au nom de critères absolument rationnels et qui, dès lors, peuvent être sujets à des correctifs plus ou moins profonds, nous entendons rendre au lecteur sa liberté de choix. Bien plus, nous croyons que, nonobstant la présence de nos options personnelles dans notre ouvrage, le lecteur peut adapter notre méthode à ses choix et continuer d'y trouver son profit. Tout au plus regretterons-nous alors que s'établisse entre lui et nous une divergence d'opinion qui n'est pas insignifiante. L'histoire nous enseigne toutefois que semblables divergences d'opinions peuvent contribuer à faire apparaître des formulations mieux nuancées et à éviter d'enfermer la pensée dans des couloirs étroits où les détails sont souvent sacrifiés.

De toute manière, notre objectif ne visait pas à prendre des décisions à la place du lecteur, mais à l'accompagner dans cette opération. S'il nous est parfois apparu impossible de demeurer dans l'absolue neutralité, nous espérons que notre exemple inspirera un comportement aussi libre au lecteur. À lui d'assumer la responsabilité de ses choix et le poids de leurs conséquences.

* * *

Les précédentes remarques n'épuisent pas les difficultés qui attendent le lecteur. Une autre difficulté, encore plus grande, risque de le convaincre que cet ouvrage, trop général, ne lui est pas utile. Pour des raisons déjà exprimées, nous n'avons pas voulu nommer les spiritualités concrètes, présentes derrière nos réflexions. Le travail reste donc à faire d'identifier une spiritualité concrète par rapport aux courants qui nous ont servi de référence. Et ce n'est pas là une mince tâche.

Différents facteurs peuvent en effet rendre difficile l'identification d'une spiritualité particulière. L'engagement affectif à l'égard d'une spiritualité peut s'avérer un obstacle à son identification à un courant par ailleurs peu appréciable. Les personnes en situation de choisir entre les diverses spiritualités disponibles ne sont pas toujours dans la plus pure neutralité. Le plus souvent, elles commencent à chercher quand leur spiritualité leur apparaît incomplète ou inférieure par rapport à d'autres dont elles entendent parler. Il n'est pas facile, dans un tel cas, de mettre entre parenthèses les motivations qui exercent leurs poids.

Il est aussi possible que la ressemblance entre telle spiritualité et tel courant identifié dans ce livre ne saute pas aux yeux du lecteur. Le langage est un outil de communication qui se veut facteur de compréhension, mais chaque langage se comprend à partir de références et d'expériences, qui ne sont pas toujours les mêmes pour l'auteur et le lecteur. Entre eux subsiste toujours la différence de ce qui est étranger; une différence qui peut amener le lecteur à ne rien reconnaître là où l'auteur entendait être tout à fait clair.

Moins grave, mais tout aussi réelle, demeure encore la possibilité que les courants spirituels retenus dans le présent ouvrage ne correspondent pas en tout, et point pour point, à telle spiritualité concrète. Il se peut que dans l'examen des différentes questions, nous ayons établi des liens entre les réponses proposées par des courants spirituels, sans que ces liens ne se retrouvent dans tous les cas.

Face à ces dernières difficultés de lecture, une solution semble s'imposer pour que l'utilisation de ce livre soit efficace. Avoir recours à de l'aide pour son interprétation.

À qui n'est pas certain de son jugement en fonction d'une spiritualité concrète, il pourra s'avérer très utile de recourir à semblable accompagnement. Il en est de même pour qui se reconnaît le besoin d'un supplément d'explications avant de parvenir à se faire une idée.

Nous entendons par aide cet accompagnement que le lecteur trouvera auprès d'une personne ou d'un groupe de personnes. Selon la mentalité, les habitudes et la psychologie de chacun, il est parfois plus simple de consulter une personne jugée compétente ou de partager le fruit de ses lectures avec quelques autres lecteurs. Il importe peu du choix entre une ou des personnes; ce qui est à retenir, c'est l'utilité éventuelle de se trouver un vis-à-vis pour mener à son terme une entreprise critique aussi délicate.

* * *

À une époque où tous les coins de la terre sont exposés quotidiennement aux opinions venues d'ailleurs, à une époque aussi où la rapidité des communications empêche souvent que les explications nécessaires n'accompagnent les informations ponctuelles, à une époque enfin où la soif spirituelle ne finit plus de se manifester dans toute son ampleur, il est urgent et indispensable que les personnes aient en main un outil susceptible de les aider à faire un choix. Nous avons modestement proposé notre contribution à l'élaboration de cet outil.

Le travail n'est pas terminé et d'autres points de vue devront venir compléter nos réflexions. Nous gardons toutefois la conviction que la référence à la personne constitue une voie incontournable et c'est pour cette raison que nous avons choisi d'élaborer notre pensée à partir de cette référence.

Notes

1. Voir Jean-Claude BRETON, *Approche contemporaine de la vie spirituelle*, Montréal, Bellarmin, 1990.
2. Il serait aussi intéressant de prendre en considération le fait que les spiritualités, souvent vécues en référence à une religion, représentent une force de conservation, ou de transformation, importante dans une société. Dans la mesure où des options sont sacralisées, elles revêtent une permanence quasi éternelle et font souvent obstacle aux changements rendus par ailleurs nécessaires. Pensons au cas de l'esclavage en lien avec la spiritualité de tradition chrétienne. S'il n'est sans doute pas exagéré de penser que cette spiritualité a contribué à transformer la conception de la personne qui avait justifié l'esclavage, on doit aussi reconnaître que la justification en question, entrée dans les manières de faire chrétiennes, a pu être longtemps difficile à démasquer pour cette raison même.
3. Voir Fernand DUMONT, *L'anthropologie en l'absence de l'homme*, (Sociologie aujourd'hui), Paris, PUF, 1981.
4. Voir notre ouvrage déjà cité.
5. Même si nous n'insisterons pas sur ce point, la réponse aux présentes questions est déterminante aussi pour situer les rap-

ports des humains à la nature en général. Les préoccupations écologiques actuelles redonnent en fait toute leur urgence à ces questions et invitent les humains à être au clair eu égard à leur façon de se situer en rapport aux autres vivants et à la nature.

6. Il faut préciser le sens du mot création. Dans la tradition théologique chrétienne, la création signifie l'institution d'êtres créés, et donc dépendants, par un Être éternel, qui peut alors être appelé créateur. Cette position peut tout à fait s'accommoder d'explications évolutionnistes qui tendent à exprimer comment la création a eu lieu et continue d'évoluer. Le créationisme et les récits mythiques de la création sont eux aussi des essais d'explication du «comment» de la création. Dans la situation actuelle des connaissances, ces dernières explications apparaissent toutefois moins satisfaisantes.

7. Sur cette question de la survie, voir le numéro complet de *Approches* 21 (1991) «L'âme? Immortelle question» et surtout l'article de Suzanne ROUSSEAU «L'âme, de son immortalité à sa mortalité», 37-59.

8. Voici à ce sujet l'opinion de Louis HOURMANT à la fin de son article «"Transformer le poison en élixir" L'alchimie du désir dans un culte néo-bouddhique, la Soka Gakkai française» dans *De l'émotion en religion*, publié sous la direction de Françoise CAMPION et Danièle HERVIEU-LÉGER, Paris, Centurion, 1990, 119 p. «À côté de la Soka Gakkai qui parle le langage du renforcement de la volonté, du dynamisme, de l'orientation vers l'action concrète, les groupes relevant de la "nébuleuse mystique-ésotérique" proposent un cheminement autogéré dans lequel le but n'a de sens que personnalisé. On doit cependant garder à l'esprit que la logique même de l'approche religieuse interdit à ces deux styles opposés d'expri-

mer toutes leurs potentialités: l'indétermination absolue du processus de découverte de soi finirait par contredire l'idée même d'ascèse impliquée par la recherche d'un état d'éveil différent de la conscience ordinaire; inversement, l'exacerbation de la volonté aboutirait au renforcement de l'ego, obstacle rédhibitoire dans toute démarche de caractère spirituel. Dans ces conditions, comment s'étonner que la voie "motrice" du "bouddhisme orthodoxe" finisse par aboutir à la relativisation de la volonté personnelle ("ne plus faire de stratégies"), que l'activisme triomphant se mue en sérénité réceptive ("dire oui à la vie dans tous ses aspects")?»

9. Nous rencontrons ici deux façons contemporaines de se situer face à l'inévitabilité de certaines formes de souffrance. L'hédonisme investit dans la quête du bonheur et l'oubli du mal. L'ascèse, dans son acception récente, accepte la présence des composantes malheureuses de l'existence, mais sans préconiser du coup une dévaluation du monde ou une rupture avec l'existence concrète où le malheur advient.

10. Il serait intéressant d'intégrer ici les réflexions de Ernest LARKIN «Le rôle de l'ascétisme dans la vie moderne» dans *Concilium* n° 19 (1966) 83-90, de même que celles de Kenneth C. RUSSELL «Ascetism: The Transition from Therapy to Punishment» dans *Église et théologie* n° 20 (1989) 171-193, pour compléter la note précédente sur le sens actuel de l'ascèse.

11. Dans d'autres contextes culturels, la situation des personnes humaines est interprétée en fonction de critères de nature plus cosmique et la question du rapport de l'individu aux autres ne se pose pas du tout dans les termes. Mais peut-on encore parler de personnes au sens où notre héritage nous a habitués à le faire?

12. Sans compter le peu de respect que cette position manifeste à l'égard des personnes qui se sont données leur vie durant au dur labeur de la recherche de la vérité.
13. Marcel LÉGAUT, *Prières d'homme*, Paris, Aubier, Nouvelle édition 1978, p. 50.
14. Comme nous l'affirmions plus haut, la création, au-delà des différences d'explications sur ses modalités, signifie la reconnaissance d'une dépendance des êtres éphémères de notre monde à l'égard d'un créateur qui leur donne d'exister. L'existence ainsi reçue sera, pour certains, porteuse d'une autonomie réelle, mais, pour d'autres, une simple émanation. Dans le premier cas, les créatures ne seront pas divines, même si elles sont de Dieu, tandis que dans l'autre, les créatures sont les manifestations matérielles et visibles du divin. On parlera alors d'une conception moniste de la réalité, où tous les êtres sont d'une même et unique nature, même si sous des dehors différents. Le christianisme s'est toujours fortement opposé à une vision moniste de la réalité, pour mieux respecter à la fois l'autonomie des créatures et le mystère de Dieu.

Table des matières

Introduction 7

1. Qui suis-je? 15
   La spécificité humaine 15
   L'origine de l'être humain 18
   Après la mort 19
   Identité personnelle 22

2. L'agir humain 25
   Un agir responsable? 26
   À quelle fin? 28
   Quel achèvement? 29
   De quelle manière? 30
   Et le mal? 32
   Quoi faire? 34

3. Le rapport aux autres — La vie en société 37
   De l'égalité des personnes 38
   Avec, contre ou sans l'autre? 40

4. La connaissance humaine 45
Connaître: qu'est-ce à dire? 46
Le sens de la foi 48
Les pratiques des spiritualités 51

5. Les relations entre les sexes 59
Les enjeux 60
Les pratiques des spiritualités 61

6. La référence à Dieu 67

Conclusion 75

Notes 81

Collection
Rencontres d'aujourd'hui

Déjà parus

1. **Les fondamentalistes et la Bible**
Quand la lettre se fait prison
Richard Bergeron

2. **Un souffle de silence**
Méditation bouddhique, esprit chrétien
Pierre Pelletier

3. **La fin est proche?**
Le discours apocalyptique actuel
Yvon Lepage

4. **Les conversions aux nouvelles religions**
Libres ou forcées?
Roland Chagnon

5. **Damné Satan!**
Quand le diable refait surface
Richard Bergeron

6. **Folies ou thérapies?**
Regard clinique sur les nouvelles religions
Pierre Pelletier

7. **L'armée de Marie**
Pour le triomphe de l'Immaculée
Lucie L.-Sansfaçon

8. **Les Témoins de Jéhovah**
Vivre en étrangers
Yvon Lepage

9. **Le Verbe s'est fait livre**
La Révélation protégée par la fondation URANTIA
Jacques Rhéaume

10. **Pour le Renouveau**
Le défi socio-ecclésial des nouvelles religions
Mgr Robert Lebel, Guy Saint-Michel et Yvon R. Théroux

11. **Les Esséniens de Qumrân**
Des ésotéristes?
Jean Duhaime

12. **La science cosmique**
Quelle science?
Madeleine Gauthier

13. **La légende du Grand Initié**
Jésus dans l'ésotérisme
Richard Bergeron

14. **Des réponses à vos questions sur les nouvelles religions**
Yvon R. Théroux

15. **Les dieux que nous sommes**
Le Mouvement du potentiel humain
Pierre Pelletier

16. **Pour trouver sa voie spirituelle**
Jean-Claude Breton